Paul-Émile Pelletier

Oblat de Marie Immaculée

1915 – 1985

Alphonse Nadeau, o.m.i.

Éditions Paulines

Composition et mise en page: *Les Éditions Paulines*

Maquette de la couverture: *Gérard Tremblay* et *Antoine Pépin*

Photo de la couverture: *Yvon Boivin,* Pointe aux Trembles, Qc

ISBN 2-89039-107-8

Dépôt légal — 4e trimestre 1986
Bibliothèque nationale du Québec
Bibliothèque nationale du Canada

© 1986 Les Éditions Paulines
      3965, boul. Henri-Bourassa est
      Montréal, Qc, H1H 1L1

      Missionnaires Oblats de Marie Immaculée
      3456, avenue du Musée
      Montréal, Qc, H3G 2C7

Préface

Nombreux sont les chrétiens qui, à un moment de leur vie, ont été marqués par la parole ou la personnalité d'un prêtre que le Seigneur a placé sur leur chemin. Le père Paul-Émile Pelletier est un de ces prêtres dont le contact laissait immanquablement son empreinte. Par son dynamisme et sa foi, il a encouragé, réchauffé ou fait revivre une foule de personnes, de couples ou de familles, et cela, souvent à un moment critique de leur vie.

Je suis heureux que le frère Alphonse Nadeau, un an à peine après la mort du père Pelletier, ait réussi à nous offrir une vivante biographie de ce prêtre admirable. L'auteur a eu à cœur d'interroger de nombreux témoins et de consigner leurs souvenirs avant que le temps ne les émousse. C'est donc le vrai père Pelletier qu'il nous présente et non un personnage transformé par la légende.

Ceux qui liront ce livre ne pourront s'empêcher de souhaiter que surgissent nombreux chez nous d'autres apôtres de la trempe du père Paul-Émile. Ce souhait, je l'ai personnellement au cœur et j'en fais une prière.

Henri Goudreault, o.m.i.
provincial

PREMIÈRE PARTIE

De l'enfance
à la fin des études

1915 – 1945

À fleur d'eau, Lavaltrie, Québec

Entre Montréal et Québec, sur la rive nord du majestueux Saint-Laurent, le chemin du Roy — première route carrossable au Canada — aligne des localités séculaires, avec leurs maisons typiques et leurs églises artistement décorées. À quarante-cinq km de la métropole, Lavaltrie servait de relais aux voyageurs qui s'y restauraient, en faisant reposer leurs chevaux. Bien irriguées, les terres rendent généreusement; en plus des cultures coutumières, on y récolte des fraises, du tabac et des pommes de terre. À bon droit, Lavaltrie s'enorgueillit de la proximité du grand fleuve qui lui concède un charme particulier. La population de cette paroisse se caractérise par son amour de la terre; y fourmillent des fermiers de vieille souche, de vrais habitants, avec tout ce que ce mot comporte d'efforts tenaces et de tranquille possession du sol. Sa vieille église paroissiale datant de 1771 renferme les précieuses sculptures sur bois de Lucien Benoît. Lavaltrie est la petite patrie de Victor Bourgeau, architecte-sculpteur réputé, et aussi celle de Paul-Émile, qui y naquit le 3 décembre 1915, du mariage de Rose-Alma Hétu et Lionel Pelletier.

Les Pelletier

La mère

Rose-Alma et Lionel forment un couple exceptionnel; leurs œuvres le démontreront bientôt, et... amplement! Dans le gouvernement interne, la mère détiendra les ministères du culte et des relations extérieures; au père reviendront l'agriculture et le développement économique; conjointement, ils assumeront la finance et l'éducation. Au foyer, la mère est discrète, besogneuse acharnée, économe. Instruite et distinguée, elle voit au bon maintien, à la dignité du langage et à la discipline de sa maisonnée. Respectueuse envers son mari, elle n'en tient pas moins les rênes du pouvoir domestique. Pieuse et fervente, elle saura communiquer sa foi inébranlable à ses petits, les préparer aux premiers sacrements et leur apprendre à mettre les choses pénibles au pied de la croix. Après le souper, on puise dans un livre vénérable une lecture sur le saint du jour, que chacun écoute religieusement. Parfois, la mère passe au piano pour accompagner la chorale familiale dans ses refrains favoris.

Le dimanche on fera du spécial, et ce sera récompense que de se laisser charmer par la maman qui au clavier joue Les Rameaux, l'Aragonnaise et des valses. Pour obtenir une grâce spéciale, elle se privera de chocolat, ne portera que du bleu, sacrifiera les bijoux, etc. Elle préside la longue prière du soir, suivie du chapelet avec quelques dizaines de douze ou quinze Avé, les neuvaines préparatoires aux grandes fêtes, etc. Si bien qu'à certains soirs la qualité menaçait de crouler sous la quantité; alourdies par les fatigues de la journée, les têtes s'inclinaient de sommeil et Rose-Alma devait ponctuer le rite sacré de quelques « Lionel, tu dors », pour ramener son mari à la réalité. Intrépide, énergique et ne semblant jamais fatiguée, son idéal tendait au devoir bien accompli.

Le père

Lionel Pelletier, de la trempe d'un premier ministre par sa facilité de parole, son intelligence, ses connaissances et son influence, faisait figure de chef de file dans sa paroisse. Vingt-cinq ans administrateur de la Caisse Populaire, il fut aussi marguillier et conseiller municipal. Roi sur sa terre, fier de son troupeau « Ayrshire » enregistré, il deviendra un cultivateur modèle et fera donner à sa terre de quatre-vingt-dix arpents un rendement surprenant. Il élève des oies, dont il fait couver les œufs par les poules, plus assidues sur le nid! Profitant du pont de glace hivernal, il franchissait le fleuve pour livrer patates et tabac sur la rive sud, à Varennes, Contrecœur et Verchères. Talentueux et avisé, il était correct en affaires; par son ingéniosité, tout se transformait en argent. Avant d'acheter, il réfléchissait longtemps, attendant toujours d'avoir les espèces pour payer.

Qu'il rôde autour de ses bâtiments, fasse son train ou revienne des champs, Lionel chante constamment et son répertoire semble inépuisable. Son épouse, sa famille, sa terre, sa paroisse sont ses amours. Ses motivations, des valeurs profondément enracinées, pour lesquelles il vivra intensément. Pour lui «la religion, c'est une affaire de gros bon sens; l'église, c'est la plus belle maison de la paroisse, là où il se dit le moins de bêtises». La parole de ses fils, même prêtres, ne vaudra jamais celle de son curé, qu'il vénère. Au moment de vendre sa terre, il dira aux acheteurs éventuels: «Tout est à vendre, sauf ma femme.» Devenue invalide, celle-ci se déplace en chaise roulante; pendant cinq ans, son mari en prendra soin avec délicatesse, tendresse et humour, la gâtant comme une enfant. Après le décès de Rose-Alma, Lionel placera sa plus belle photo dans la cuisine et continuera de causer avec elle...

La famille

Le croquis de cette famille est une histoire d'amour. À cette époque, la notion du sacré dans le mariage demeure intacte; ce jeune couple engendrera les bénéficiaires de tout un héritage culturel et patrimonial. Vienne la descendance! Surgit tout d'abord Paul-Émile. Le premier, il vient égayer de son babil ce ménage d'honnêtes agriculteurs. Le jour même de son arrivée, il sera baptisé sous les noms de Joseph, Éphrem, Paul-Émile. Une terre fertile ne saurait être mesquine; la valeureuse Rose-Alma donnera naissance à quatorze autres rejetons! Quand Paul-Émile aura six ans, la famille comptera déjà huit enfants! Il faut préciser qu'à deux reprises le couple s'enrichira de jumeaux... Si bien qu'après dix ans de mariage il comptera dix enfants. Le père disait: «Lorsqu'on attend un enfant, on retarde la fin du monde.» Et un curé d'ajouter: «Dans ce foyer d'amour on préparait des plants de Royaume, des ouvriers pour la moisson.» Les treizième, quatorzième et quinzième arrivèrent du même coup, mais on ne put les réchapper. Le père commentait: «Dieu m'a comblé, j'ai eu plus que ma part; il m'a donné quinze enfants, pas un de trop.» Beaucoup plus tard, très modeste dans ses ambitions [!] la mère ajoutera: «Si mes triplets avaient vécu, j'aurais deux prêtres de plus.» D'après ce que la suite va nous révéler — et la loi de «leur moyenne» — il aurait fort bien pu en être ainsi! Songeant à la nombreuse progéniture de ses parents, Paul-Émile dira un jour: «Ils auraient mérité une médaille pour un pareil championnat, dans un temps où ils étaient matériellement si peu équipés, sans aucune aide.»

Climat familial

Le foyer des Pelletier forme une ruche bourdonnante et l'on y mène une vie trépidante. Les valeurs familiales s'exprimaient par ces trois mots: travail, prière, fête! On sait déjà qu'ils besognaient à pleins bras du matin jusqu'au soir. Par ailleurs, tout donnait prétexte aux joyeux rassemblements. Les dimanches, on célébrait: «Il y avait toujours un party d'organisé», dira Paul-Émile. Parfois, ces réunions regroupent jusqu'à cinquante personnes, pour fêter naissances, anniversaires, événements de toutes sortes. Dans ce climat de cordiale fraternité se faisait l'éducation au sens communautaire. Les parents organisèrent eux-mêmes la fête de leur dixième anniversaire de mariage. Avec leur trâlée d'enfants, et toutes les invitations qu'ils firent, la maison se remplit: la tradition est établie.

Le lundi, on se retroussait les manches! Si le tumulte et les cris s'élèvent, ici comme partout où les enfants fourmillent, rarement voit-on la division ou la chicane troubler cet intérieur. Pas de gaspillage, les enfants ne sont pas gâtés; chaque paire d'épaules porte le poids qui lui convient. Lors des premiers vendredis de mois, tout le monde se rend à l'église, distante de cinq km, pour la messe et les dévotions. Gens de famille et de religion, Mme et M. Pelletier sont honorés, par S.S. Pie XII, en 1955, de la médaille «Pour l'Église et le Pape».

En relations épistolaires avec quelques missionnaires, dont le préféré est le père Odilon Chevrier, o.m.i., du Basutoland (aujourd'hui Lesotho), la mère fait à la maisonnée lecture de leurs courriers. De toute évidence il règne dans ce foyer un climat favorable à l'éclosion et à la culture de vocations spéciales. Conscient des sacrifices consentis par ses parents pour son éducation et celle de ses frères et sœurs, Paul-Émile apporte sa collaboration aux travaux de la ferme, mais n'y manifeste aucun goût et, disons-le, peu d'habileté. Un jour qu'il est en train de traire la farouche Élégante (chaque vache enregistrée avait son nom propre) elle rue et l'envoie paître dans le dalot de l'étable! Plus d'une fois, ses sœurs lui diront, en le taquinant: «Ôte-toi, que je le fasse.» Décidément, l'avenir de Paul-Émile ne s'oriente pas vers la ferme. Lionel ne pourra compter sur son fils aîné pour assurer la relève agricole du bien paternel.

Terminons ces pages d'histoire intime par une anecdote charmante. Le mariage de Mme Pelletier avait été béni par un cousin, l'abbé Joseph-Archibald Mousseau. Comme la nouvelle mariée lui demandait ce qu'elle pourrait faire pour l'en remercier, il lui répondit: «Je serai parrain de ton douzième enfant.» Chose promise, chose due! Ce qui se produisit effectivement le 8 octobre 1931, lorsque Thérèse compléta la douzaine. En remettant à la mère quelques cadeaux de circonstance, le chanoine Mousseau lui dédia le poème suave que voici:

BERCEUSE DES DOUZE ENFANTS

Nos jardinets débordent d'abondance;
Nos champs féconds se couvrent d'épis d'or.
Mais je te dois, divine Providence,
Produits meilleurs et plus riche trésor.
C'est cette ruche où butine et bourdonne
L'essaim nombreux d'enfants gais et bruyants.
Mon vrai trésor, ma gloire et ma couronne,
Mon vrai trésor, c'est d'avoir douze enfants!

Mon brave époux pourrait dans la semaine
Loin du foyer courir seul aux festins;

Pour l'y fixer, quelle plus douce chaîne
Que les anneaux de ces vingt-quatre mains?
À chaque enfant, il m'aima davantage;
Son bras, son cœur devinrent plus vaillants.
Comment d'ailleurs, faire mauvais ménage,
Quand notre exemple instruira douze enfants!

D'un fils unique, amis, plaignez la mère,
Le fils unique est un enfant gâté.
À vivre entre eux, tous les miens, au contraire,
Auront appris travail et charité.
C'est dans ce sol que Dieu sème et fait naître
Les fiers projets et les beaux dévouements:
J'aurai fermier, religieuse et prêtre:
Dieu peut choisir, quand on a douze enfants!

Ils grandiront et trop tôt solitaire,
Je les verrai tous s'éloigner du nid...
S'ils ont gardé, tous, la foi de leur mère,
Mon Dieu merci, mon temps sera fini!
Sans crainte alors, et pleine d'espérance,
J'irai m'offrir à tes saints jugements.
Qui mieux que moi mérite récompense?
J'ai, pour ta gloire, élevé douze enfants!

Sur les bancs d'école

Avant même d'atteindre ses cinq ans, Paul-Émile entre déjà à l'école rurale N° 2 de la Côte Mousseau. Matin et soir il couvre à pied les deux km qui la séparent de la maison, emportant son petit lunch, avec une pomme pour dessert. Intelligent, il saisit vite, ce qui lui laisse le loisir de rêvasser. Même au collège, tout ce qu'on pourra lui reprocher sera de mener de front trois ou quatre choses; sans quoi il pourrait s'approprier les premières places. Ouvert et confiant, Paul-Émile ne se méfie pas des élèves plus rusés, qui font passer sur son dos leurs mauvais coups. C'est ainsi qu'il écopera parfois de punitions méritées par l'un ou l'autre de ses deux cousins, Gaspard Plouffe et Gilles Mousseau; ce dernier deviendra Oblat! À onze ans, Paul-Émile s'inscrit au collège de L'Assomption, distant d'une quinzaine de km de chez lui. Ce collège de réputation enviable est tenu par des prêtres séculiers. Paul-Émile connaissait bien L'Assomption; les gens de Lavaltrie y faisaient entre autres aiguiser leurs godendards! Venant d'un milieu respectable, il prit aisément sa place dans cette troupe de trois cents collégiens et ne semble pas avoir été intimidé par l'animosité qui se manifeste parfois entre citadins et ruraux.

Poli, jovial, distingué et studieux, Paul-Émile se fit rapidement accepter partout. À quelques reprises, on le demanda pour remplir un rôle dans une troupe de théâtre, ce qui prouve son excellence en classe. Il avait de la prestance, de l'éloquence, de l'entregent. Membre de la fanfare dans laquelle il jouait la flûte traversière, on lui permettait d'apporter cet instrument chez lui pour la période des vacances. En classe, Paul-Émile occupe le 6e ou 7e rang. Les mathématiques lui vaudront ses plus basses notes, alors qu'en instruction religieuse il atteindra des sommets, décrochant souvent 100%. Sa conduite se qualifie d'excellente. Les mardis ou jeudis, les élèves «sages» pouvaient organiser des «campagnes», ou randonnées dans la nature. Plus d'une fois, par les beaux jours d'hiver, Paul-Émile invitait des copains chez lui à Lavaltrie. En raquettes à travers champs, ils couvraient la distance en moins de trois heures. À la maison les attendaient un accueil empressé, une table bien garnie et du sucre à la crème encore chaud! Toujours, le foyer paternel hébergera les amis de Paul-Émile collégien, ou les compagnes de ses sœurs normaliennes. Parfois, les jeunes s'y retrouveront jusqu'à vingt ou trente! Pour tous il y avait goûter, musique et chansons. Le poète songeait sans doute aux gens de Lavaltrie, quand il écrivait: «Doux, aisés, vifs en leurs manières; polis, galants, hospitaliers[1].»

Le collège de L'Assomption possédait sa ferme, son troupeau, récoltait ses légumes, etc.

---

[1] Sir Georges-Étienne Cartier: «Ô Canada, mon pays, mes amours».

Monsieur Pelletier devait le savoir; mais il se présente quand même un jour chez le procureur... avec une charge de patates, question d'alléger la facture mensuelle; car à ce moment-là, il avait *trois* garçons à l'institution. L'économe s'efforce de lui faire comprendre que ce n'est pas avec cela qu'il pourra payer l'électricité, le téléphone ou le chauffage; il clôt son refus en ajoutant: «Si tu as un pensionnaire de trop, retire-le.» Lionel revint chez lui avec son voyage... mais seul. Alors que *cinq* des enfants Pelletier étaient pensionnaires en même temps, si incroyable que cela puisse paraître, les parents acquittaient sans aucune aide extérieure ces comptes onéreux. En pleine crise économique... faut le faire! Lionel, informé des générosités de son épouse, la taquinait en disant: «Notre sixième pensionnaire, c'est saint Joseph.»

Un jour, Germain, frère de Paul-Émile, collégien en visite à la maison s'enquiert du pourquoi des *deux* lampions au pied de la statue du Sacré-Cœur. La mère explique: «Le premier, c'était pour que tu viennes; le deuxième, c'est pour que tu t'en ailles, afin de n'être pas en retard et de pouvoir revenir.» Dans l'une de ses conférences, Paul-Émile dira: «J'ai été vingt-trois ans à l'école; vous voyez que ça m'a pris du temps pour me déniaiser...» Sur ces vingt-trois années, il en passera huit au collège de L'Assomption où il suivra le cours classique. Pour sa part, son père justifiera ainsi son hésitation à prendre la parole, lors du banquet d'ordination de l'un de ses fils: «J'ai fréquenté vingt-deux ans le collège de L'Assomption, mais ce fut surtout pour payer des comptes...»

Vocation

Son cheminement a convaincu Paul-Émile qu'il est appelé à la prêtrise, un dessein qu'il caresse depuis longtemps. S'étant ouvert à son directeur spirituel de son désir de s'agréger à une congrégation missionnaire, celui-ci l'en dissuade, alléguant sa santé fragile. Afin de donner quand même suite à ce projet de sacerdoce, il entre au grand séminaire de Montréal, pour commencer ses études en théologie. À ce stade, il a déjà un pied dans le clergé séculier. Est-ce à dire qu'il renonce à son rêve missionnaire? Attendons, voir... Il entreprend son année avec détermination, pressentant déjà la joie de sa première messe. Du collège de L'Assomption, n'avait-il pas écrit à sa mère: «Vous verrez votre fils revêtu d'une soutane noire... ou blanche, monter à l'autel.»

Mais au cours du second semestre, ça ne

va vraiment plus… Il a beau faire des efforts, il ne peut suivre le groupe. L'examen médical révèle une pleurésie sèche. C'est donc l'abandon momentané des études, le grand repos; il se retrouve chez ses parents, en soutane, au milieu d'une nombreuse maisonnée. Élancé, blême, maigre, fragile, vulnérable. Il n'y a pas que sa mère qui s'interroge et s'inquiète… Il laisse passer l'appel à la tonsure, qui marque l'entrée d'un laïque dans l'état ecclésiastique. Mais après quelque temps, l'air du pays, les soins assidus de la mère, l'enthousiasme du père, la chaleur familiale le remettent sur le piton. Si bien qu'au début de l'été il passe quelques jours en retraite au noviciat des Oblats à Ville LaSalle, puis par la suite demandera son admission chez eux. Paul-Émile connaît ces religieux depuis longtemps. Au collège de L'Assomption, l'avaient devancé des étudiants devenus par la suite Oblats célèbres: les Charlebois, Lajeunesse, Lacombe, Lacasse, etc. Gilles Mousseau, son espiègle cousin, condisciple à L'Assomption, était entré à ce noviciat après sa rhétorique; et on sait l'esprit missionnaire inculqué par la mère à toute sa famille.

Dispersion

L'entrée de l'aîné à Ville LaSalle marque donc l'un des départs définitifs du foyer et sera douloureusement ressenti. L'exode qui s'amorce se poursuivra sans merci; c'est le rythme des arrivées qui reprend, *mais en sens inverse.* La maison se dépeuplera complètement et, à chaque épisode de cette affligeante émigration, les parents mourront un peu. Quatre opteront pour le mariage, quatre choisiront la prêtrise et trois deviendront religieuses.

Passant devant les chambres vides, la mère soupire: «Que c'est triste...» Rendus aux derniers, on disait aux parents: «Vous devez vous y faire maintenant, vous êtes accoutumés...» Et la réponse surgissait, généreuse: «Non, on ne s'habitue pas, c'est toujours à recommencer.» Pour sa part, Olive s'était jointe aux Sœurs Blanches. Quand elle quitta pour l'Afrique, c'était, en principe, pour la vie. La famille la reconduisit à la gare centrale de Montréal; même si l'on abrège les adieux pour les atténuer, tout le monde pleure. Et le père de gémir dans un sanglot: «On enterre nos enfants vivants...» Enfin, écoutons plutôt Paul-Émile, le conférencier, faire en deux mots la description de sa famille: «Bonne terre, bonne récolte; trois

Sœurs: une blanche[2], une grise et une noire[3]; quatre prêtres: un séculier, un aux Missions Étrangères, un Père Blanc d'Afrique et un Oblat. On en a sauvé quatre, puisqu'ils se sont mariés. Ça fait des places où aller, car chez les Sœurs c'est bien ennuyant, et chez les Pères encore plus. »

Apprenti religieux

Il nous tarde de rejoindre notre jeune héros, qui a élu domicile pour un an sur l'historique terre de Lachine. Voisin de la métropole, le noviciat Notre-Dame-des-Anges jouit du silence et de la paix de la campagne, sauf bien sûr lorsque les bruyants et interminables trains s'engagent de Caughnawaga sur le pont du Pacifique Canadien, ce qui, en été, contraint les conférenciers à interrompre leurs discours aux novices. Avec joie, Paul-Émile y retrouve son fleuve, en amont de Lavaltrie, mais ici torrentueux et accéléré, à l'approche des bouillonnants rapides Lachine. Cette vue du Saint-Laurent est évocatrice pour lui et teintera d'un brin de nostalgie ses premières impressions. Ce flot, agité ici, léchera tranquillement, quatre-vingts km en

---

[2] D'Afrique.
[3] De la Congrégation de Notre-Dame.

24

Rose-Alma et Lionel au jour de leur mariage,
9 février 1915.

L'enfant de la promesse,
Paul-Émile à sept mois, 1916.

« Ce qu'il évoque de souvenirs très doux,
le cher petit toit de chez nous... »

Collège de L'Assomption, Éléments latins, 1927-1928.

Collège de L'Assomption, troupe d'acteurs, 1930.

« Finissant »
à L'Assomption, 1935.

Ville LaSalle, noviciat Notre-Dame-des-Anges.

aval, la rive enchantée de sa paroisse natale, en face de la maison paternelle. N'importe! Au cœur de ce futur prédicateur de l'Évangile, une parole résonne: «Quiconque met la main à la charrue, puis regarde en arrière, n'est pas fait pour le Royaume de Dieu» (Lc 9, 62). Paul-Émile qui toute sa vie fera preuve de détermination n'est pas homme à se traîner les pieds.

L'aspirant religieux approfondit sa vocation, étudie l'histoire de la Congrégation, s'initie à la contemplation, fortifie sa vie spirituelle, se prépare aux engagements qu'il s'apprête à assumer, se forme à la vie commune, etc. Paul-Émile — pensionnaire depuis neuf années — est déjà familier avec plusieurs de ces usages. Sans entrer dans le détail, et pour savoir l'essentiel de ce qui s'est effectivement passé durant son noviciat, on peut en toute confiance s'en remettre au jugement du maître des novices, le judicieux père Pierre Pépin, qui fait sur lui une évaluation, en vue de l'acceptation aux premiers vœux. «Grand, blond, fier, volontaire, droit, de tact et de jugement. Bon compagnon, pieux, plein de ressources, doué pour le chant et la parole en public. Devra surveiller une santé fragile. Accepté à la profession chez les Oblats.» Voilà, en style télégraphique, son portrait. Ceux qui le rencontreront, plus tard, le reconnaissent déjà, il ne se démentira pas.

Chez les Oblats

L'Oblat, c'est l'homme de Jésus-Christ. Il éprouve le besoin de dire, surtout aux pauvres, qui est Jésus-Christ. C'est l'homme des pauvres, dont les cris l'affectent profondément. Il brûle du désir de leur révéler quelle est leur grandeur et leur dignité en Jésus-Christ. C'est l'homme de l'Église, du pape, des évêques. C'est l'homme de la Vierge Marie, qu'il s'efforce de faire connaître et aimer. C'est en communauté apostolique qu'il vit et partage son idéal missionnaire[4].

Fernand Jetté, o.m.i.,
supérieur général

Par sa première oblation, qu'il prononce à Ville LaSalle même, le 21 juillet 1937, Paul-Émile est agrégé à la Congrégation des Missionnaires Oblats de Marie Immaculée. Il rejoint immédiatement ses confrères aînés en vacances à Perkins dans les Laurentides, au nord de Gatineau. À la rentrée au scolasticat Saint-Joseph d'Ottawa, il s'inscrit à l'Université pour une troisième année de philosophie. Un an plus tard,

---

[4] *Oser grand comme le monde,* Éditions C2L, Paris, 1985, 32 pages.

peu après la reprise des cours, à l'automne 1938, réapparaît sa maladie de poumons; de sorte qu'en novembre on le dirige sur Sainte-Agathe-des-Monts.

Dans cette région laurentienne réputée pour son climat exceptionnel se trouvent déjà deux sanatoriums. Les Oblats occupent depuis 1934 un pavillon, où les scolastiques atteints d'affections pulmonaires peuvent être soignés tout en poursuivant leurs études. Au moment où Paul-Émile y arrive, en novembre 1938, cette résidence est non seulement une «station thermale» mais un remuant centre vital pour la province oblate de l'est. Y vivent déjà une soixantaine de religieux; les planchers ploient et craquent sous le poids du personnel nombreux, c'est la crise du logement. On agrandira d'ailleurs en 1945, en érigeant un hôpital privé, à la place de la serre.

Aménagée par le richissime Lorne McGibbon et entretenue par les bons soins des résidants, la propriété, à certains jours, ressemble au paradis terrestre. Les touristes s'extasient sur la beauté des paysages grandioses qui s'offrent à leurs regards. Les patients, eux, préoccupés, soucieux et angoissés par leur maladie, ne s'émerveillent pas toujours des sites... Un visiteur canonique appelle la résidence «l'asile du bon samaritain et l'antichambre du paradis», car tous ne guériront pas, quelques-uns décéderont. Le père Stanislas-A. La Rochelle complétera le tableau en ajoutant: «Ici se vit le mystère douloureux de la souffrance humaine, physique et morale. Le Christ y souffre dans plusieurs de ses membres.»

Épreuve d'endurance

Âgé de vingt-trois ans, Paul-Émile, survenu dans un décor si pittoresque, n'ambitionnerait sans doute que d'escalader les montagnes, s'ébrouer dans le Lac des Sables, «randonner» dans les sentiers, faire du ski! Mais il est acculé à une désolante réalité. Blessé dans son corps, il doit mettre en consigne ses beaux rêves, s'astreindre à des heures de chaise longue, immobilisé sur les galeries grillagées, par toutes les intempéries d'hiver ou d'été, souvent les écouteurs aux oreilles pour suivre les cours. Il y consacrera un temps apparemment interminable, qu'il occuperait si bien... autrement!

Passés les premiers mois d'inactivité, il ralliera progressivement ses confrères étudiants en théologie, qui se préparent à la prêtrise et au ministère pastoral. Paul-Émile figure parmi les bénéficiaires de ce que Mgr Albert Sanschagrin appelle *le miracle de Sainte-Agathe*. À partir des années 1935-1940, les bons soins du *Dr Albert Joannette* et la sollicitude du *père Charles Charlebois,* supérieur, sauveront la vie et la vocation de plusieurs Oblats. Pour sa part, le scolastique Sanschagrin, décompté à la suite d'une rechute tuberculeuse, subira durant cinq ans le pneumothorax: injection d'air stérilisé dans la plèvre, par piqûres hebdomadaires. Paul-Émile supportera pareil traitement, deux années durant. Tous deux, et plusieurs autres, guériront complètement et définitivement. Avec des ménagements, des études mitigées, et en groupes restreints, Sainte-Agathe-des-Monts a fourni à la Congrégation des Oblats soixante-quinze prêtres, parmi lesquels une bonne douzaine d'aumôniers d'Action Catholique ouvrière.

Le «père Charles»

Au nombre des professeurs se trouve un père Jean-Louis Dion, astreint lui aussi à des activités réduites. Jean-Louis et Paul-Émile se rejoignent, se comprennent; quelques années plus tard ils se rattraperont. Non pas accidentellement, mais bien plutôt parce qu'ils auront tous deux subi à Sainte-Agathe-des-Monts — milieu isolé mais non fermé — l'influence d'un maître à penser, une espèce de phénomène: le supérieur, le «père Charles». Justement l'un de ceux dont Paul-Émile a entendu parler à L'Assomption, de deux générations son devancier sur les mêmes bancs de collège. Fier, audacieux et tenace, le «père Charles» avait consacré sa vie à Dieu et à la défense des francophones de l'Ontario. Devant l'injustice et la déloyauté, il réagissait avec indignation. On disait qu'il prenait plaisir à accumuler les obstacles pour avoir la satisfaction de les renverser. Éducateur et meneur par habitude, il savait dépister les futurs chefs et les enflammer pour les causes qui lui tenaient à cœur. Il employait des formules frappantes, émaillait son discours d'expressions du terroir, à l'image de son peuple, qu'il semblait porter sur ses épaules. D'un sens social très développé, en un temps où les mouvements d'Action Catholique sont en plein essor, le père Charles Charlebois invitait leurs leaders, ceux des syndicats et les journalistes du *Devoir* à faire des conférences aux scolastiques. Marqué par le père Charlebois, comme bien d'autres, Paul-Émile lui vouera reconnaissance et vénération; il évoquera Sainte-Agathe-des-Monts comme un foyer d'éveil et de formation pour les futurs aumôniers d'Action Catholique.

Paul-Émile touche le but

Paul-Émile s'intéresse vivement au ministère que les confrères exercent dans les paroisses avoisinantes. Il s'enquiert auprès des prédicateurs de leurs difficultés, offrant sa réclusion et ses prières pour le succès de leur travail. Il suit de près les *retraites mazenodiennes,* appelées ainsi en souvenir des missions populaires à grand déploiement, inaugurées par *Mgr de Mazenod, à Marseille,* vers les années 1820. Jeune prêtre et professeur à Sainte-Agathe-des-Monts, Paul-Émile participera à l'une d'entre elles, dans sa paroisse natale, Lavaltrie. Il visitera quelques familles distantes, animera la prière, donnera le sacrement du pardon. Ce fut l'une de ses toutes premières expériences pastorales.

Pour l'instant, et en vue de sa profession perpétuelle, le père Charlebois rédige sur Paul-Émile un rapport, duquel on peut tirer les appréciations suivantes: «Équilibré, sensible, pieux, soigneux, énergique, sociable et ouvert. Plein de tact, de gros bon sens. D'un degré intellectuel supérieur à la moyenne, a bien réussi tous ses examens. Encore convalescent, tout laisse espérer une guérison complète. Connaît la musique et l'anglais; apte à l'enseignement, à la prédication et — il fallait s'y attendre — à l'Action Catholique, en conformité avec ses goûts.» C'est à Sainte-Agathe-des-Monts que Paul-Émile prononcera ses vœux perpétuels, le 15 août 1940. À partir de cette oblation, il portera le crucifix, signe distinctif et apparent de l'Oblat. Ce symbole du Seigneur crucifié est comme le diplôme de son ambassade aux divers peuples auxquels il est envoyé. Le 8 septembre, à Pont-Viau, lui est conféré le sous-diaconat; une semaine plus tard, il est ordonné diacre, au collège Saint-Laurent. Puis il regagne le scolasticat d'Ottawa pour sa retraite de préparation au sacerdoce.

Enfin prêtre!

À la cathédrale d'Ottawa, le 21 septembre 1940, Paul-Émile est fait prêtre par l'archevêque, Mgr Alexandre Vachon. Il atteint l'un des buts de sa vie, mais non sans difficulté, on l'a vu; sur la fin, la montée s'avéra abrupte! Mais le jour est à la joie. La famille accourue entoure avec fierté son aîné, communie de sa main à sa première messe et s'agenouille avec respect sous sa bénédiction. Les heureux parents croient récolter déjà les fruits de leurs laborieuses semences. Passés ces jours de grandes émotions, chacun retourne à ses occupations avec une étoile au cœur. Pour sa part, Paul-Émile entreprend courageusement une autre année d'études en théologie pastorale; il la passera à Ottawa. Après cette longue préparation, il est fin prêt à passer à l'attaque. Devant l'éventail des possibilités offertes au dévouement des jeunes Pères, il y a de quoi exciter l'ardeur d'un zélé comme lui. Un article de la Règle des Oblats explique:

> Les Oblats se vouent aux groupes que l'Église atteint le moins. Notre mission est d'aller d'abord vers ceux dont la condition réclame à grands cris une espérance et un salut que seul le Christ peut apporter en plénitude. Ce sont les pauvres aux multiples visages: nous leur donnons la préférence[5].

Dans la province de l'est du Canada, les Oblats sont engagés dans tous les secteurs, aucun ministère ne leur étant étranger: enseignement dans les collèges, juniorats, scolasticats, universités; paroisses populeuses en milieux défavorisés; prédication en paroisses ou retraites fermées; aumôneries de religieuses, d'hôpitaux, de militaires ou de mouvements, comme: Lacordaire, syndicats, voyageurs de commerce; l'Action Catholique: JOC, LOC, desserte de

---

[5] *Constitutions des Oblats,* N° 5, Rome, édition 1982, 184 pages. Cette formulation moderne rend bien l'esprit des Constitutions en vigueur en 1940.

pèlerinage; missions indiennes ou esquimaudes au pays; missions à l'étranger: Amérique du sud, Afrique, Asie, etc.

Paul-Émile pourrait aller n'importe où, avec d'excellentes chances de réussite. Consulté sur ses préférences, en février 1941, en vue d'une affectation à un ministère particulier, il avait manifesté le désir 1) *d'enseigner,* tout en poursuivant ses études; 2) dans un *scolasticat,* en raison de son goût pour la philosophie et la théologie; 3) spécifiant délicatement *Sainte-Agathe-des-Monts,* pour sa santé fragile, dans un climat approprié, près de spécialistes réputés. Il mentionne aussi les avantages d'une vie religieuse intense. Il termine ainsi son exposé: «Mon plus grand désir est de faire la volonté de Dieu, manifestée par les supérieurs.» Exprimer pareilles dispositions octroie à l'autorité une confortable marge de manœuvre! Si le provincial, le père Gilles Marchand, comble entièrement les attentes du petit Père, ce n'est pas que la chose soit courante à l'époque. Il nous est permis de conjecturer que des pressions provenant d'un père Charlebois aient influencé une décision qui s'avère judicieuse et prudente. Il faut fortifier la santé d'un sujet si prometteur; on reconnaît la perspicacité de tous les intervenants dans cette affaire. À l'été 1941, Paul-Émile reçoit donc une première obédience pour le scolasticat de Sainte-Agathe-des-Monts, assigné à l'enseignement de la théologie; il y séjournera deux ans.

À pied d'oeuvre

L'étudiant d'hier devient le professeur d'aujourd'hui. Non pas que Paul-Émile le prenne de haut; il demeure simple, proche de la réalité quotidienne, attentif, tout en se révélant un vrai maître par sa compétence, sa bonhommie, et la profondeur de sa pensée. Mais les supérieurs qui le destinent à autre chose le lanceront sans tarder dans la mêlée, sa santé semblant suffisamment raffermie. Le père Gilles Marchand lui donne donc en 1943 une obédience pour la maison Notre-Dame-des-Ouvriers, sise au 1001 rue Saint-Denis, en plein quartier ouvrier de Montréal. Le supérieur de cette résidence est celui qu'on surnommera le bon père Victor-Marie Villeneuve[6], à ce moment-là aumônier général de la JOC, de la JOCF et de la LOC.

---

[6] Laurent TREMBLAY, o.m.i., *Victor-Marie Villeneuve, o.m.i.,* Éditions Rayonnement, Richelieu, Qc, 1980, 152 pages.

Changement de direction

Le père Pelletier n'a pour ainsi dire que le temps de déposer ses effets personnels et de prendre la direction de Québec, car on l'envoie étudier à la Faculté des Sciences sociales de l'Université Laval, avec résidence chez les Oblats de Saint-Sauveur. En principe, c'est pour un an et, à la fin de son année à Laval, il devrait revenir à Montréal. Mais, à la mi-septembre 1944, le père Georges-Henri Lévesque, o.p., fondateur et doyen de cette Faculté, qui a détecté en Paul-Émile un sujet d'élite, écrit au père Marchand:

> Appuyé par les autorités de notre Faculté, je vous demande d'autoriser le père Pelletier à poursuivre ici ses études en relations industrielles. L'un de nos meilleurs étudiants, équilibré et talentueux, il possède tout pour devenir un sociologue et apôtre social qui jouera un rôle remarquable dans notre province. Il importerait qu'il couvre le cycle complet de formation. Connaissant la psychologie du public, il aurait avantage à obtenir un grade, pour le placer sur un pied d'égalité avec les laïques; LOC et JOC augmenteront leur prestige si elles comptent parmi leurs dirigeants des personnes qualifiées. Comme professeurs, il aura des personnalités influentes de la vie ouvrière: sous-ministres, patrons d'entreprises, etc. Pour l'avantage de l'Action Catholique, de l'Église et du Canada français, il devrait com-

pléter son stage, même si momentanément JOC et LOC en subissent quelque inconvénient; l'avenir leur donnera large compensation.

Persuadé par les arguments si consistants de cette requête, le provincial de Paul-Émile accorde volontiers le délai proposé.

Paul-Émile se retrouve donc au presbytère Saint-Sauveur de Québec pour une seconde année. Dans cette paroisse de douze mille âmes, tous les mouvements, toutes les associations prospéraient, animés par une équipe d'Oblats extrêmement actifs, zélés, et au dévouement admirable. Paul-Émile trouve que la table a été mise tout exprès pour lui! Il s'engage spontanément dans la section masculine de la JOC, tandis que son compagnon d'études à Laval, le père Henri Légaré, o.m.i.[7], s'occupera de la branche féminine du même mouvement. Paul-Émile se lance à l'attaque, apprend et mémorise les noms, appuie, conseille, encourage. Rapidement à l'aise partout et avec tous, il trouve que d'aucuns «mettent beaucoup de temps à faire leur nid...» Il reluque parfois du côté de la section locale de la LOC, animée par le père Jacques Crépeau, o.m.i., qui à ce

---

[7] Recteur de l'Université d'Ottawa de 1958 à 1964; archevêque actuel de Grouard-McLennan, Alberta.

moment-là fonde la toute première Coopérative d'Habitation Ouvrière, un projet qui emballe Paul-Émile. Il laissera sa marque à Saint-Sauveur. Espiègle et moqueur il y manifestera et développera son talent exceptionnel d'imitateur. Maniée sans précaution, cette arme aurait pu le rendre redoutable, chacun devenant une cible potentielle... Il n'en abusera pas, mais en amusera plusieurs, toute sa vie durant! Paul-Émile quittera Québec en 1945, enrichi d'une maîtrise en Sciences sociales, pour réintégrer l'Action Catholique ouvrière, pour de bon cette fois.

DEUXIÈME PARTIE

L'Action Catholique et les Oblats

1943 – 1964

L'Action Catholique spécialisée

Pie XI a défini l'Action Catholique comme *la participation du laïcat à l'apostolat de l'Église.* Les laïques, baptisés et confirmés ne sont ni représentants ni prolongements des prêtres dans leur milieu. Ils ont à assumer la promotion chrétienne et sociale de leur environnement, c'est leur vocation propre. Pie XI disait encore: «Les apôtres des ouvriers seront des ouvriers.» En Action Catholique, le rôle de l'aumônier n'est pas de mener, mais d'apporter aux militants un éclairage évangélique sur leur agir. Lors d'un congrès, Pie XI affirmait: «L'Action Catholique va tellement rapprocher les laïques des prêtres, que ces derniers en seront transformés.»

Joseph Cardijn

La transformation projetée sera lancée par son véritable instigateur, le jeune prêtre belge, Joseph Cardijn[1]. Conscient des conditions inhumaines imposées aux jeunes salariés, il veut les «conscientiser» à leur dignité et à la mission

---

[1] Prononcer «Cardaigne».

qui leur incombe. Il met au point la méthode *Voir*: regarder, observer, noter; *Juger*: analyser, évaluer, prévoir; *Agir*: passer à l'action. En 1925, Cardijn publie le *Manuel de la jeunesse ouvrière,* affirmant qu'il faut changer le milieu pour le rendre viable. Cardijn voyagera beaucoup, parlera devant d'innombrables assemblées. Sans toujours le comprendre en raison de la diversité des langues, ses auditeurs, électrisés par sa force de persuasion, saisiront ses idées. Cet audacieux entraîneur travaillera toujours, et mourra *cardinal des ouvriers,* à quatre-vingt-cinq ans.

Au Québec

Implantée au Québec en 1932 par le père Henri Roy, o.m.i., d'après les modèles belge et français, la *Jeunesse Ouvrière Catholique* gagnera rapidement la province tout entière. Pour sa part, Paul-Émile y consacrera une dizaine d'années. Tout comme ses confrères, il mettra l'accent sur la formation des permanents: stages regroupant militants et aumôniers, avec le souci de rester collé à la réalité des jeunes travailleurs.

C'est la formation par l'action, l'apostolat du semblable par son semblable, d'après la formule connue: «Entre eux, par eux, pour eux». Paul-Émile écrira:

> La JOC se présente comme un signe d'espérance. Elle crie tout haut les souffrances de la jeunesse travailleuse. Elle fait appel à tous ces jeunes, victimes d'une société en déroute, pour les inviter à relever la tête, à se donner la main, à faire face courageusement à leur avenir.

Les Oblats dans le décor

Missionnaires par vocation, les Oblats, déjà proches des gens simples par leur engagement dans des paroisses ouvrières et leur équipe de prédicateurs ambulants, ont vu dans l'Action Catholique un nouveau moyen d'évangéliser, en accompagnant les laïques dans leur action. Au Québec, ils furent les initiateurs des *mouvements spécialisés de l'Action Catholique ouvrière*. Forts de la confiance de l'épiscopat, le père Roy et ses successeurs assumeront la responsabilité pastorale de ces mouvements.

Les Oblats concentrent leurs efforts et leurs effectifs sur la JOC et la LOC durant quarante ans, soit, en gros, de 1930 à 1970. Un ancien dirigeant national affirme: «C'est incroyable ce que les Oblats ont fait pour l'Action Catholique. Ils l'ont portée à bout de bras, fournissant personnel, locaux, défrayant le coût des publications.» Pendant les quinze premières années, les aumôniers ne toucheront aucun salaire; ils vivront frugalement avec leurs honoraires de messes et des dons. Quelques confrères prédicateurs apporteront le nécessaire à la résidence oblate des aumôniers nationaux, en plus d'y accomplir plusieurs tâches connexes. À partir de 1945, la commission épiscopale versera de modestes indemnités, mais elles demeureront toujours insuffisantes. La contribution matérielle des Oblats était un don sans hameçon; ils laissaient aux mouvements leur complète autonomie; les aumôniers pouvaient se consacrer en toute liberté à leur travail d'animation auprès des dirigeants laïques et des aumôniers des sections locales.

Paul-Émile dans la place

En 1945, au terme de ses études en Sciences sociales à l'Université Laval, Paul-Émile arrive à Montréal et devient adjoint au père Victor-Marie Villeneuve, aumônier général de la JOC, de la JOCF et de la LOC. On l'affectera spécialement à la LOC mais pour un court stage, car en 1947 Mgr Georges-Léon Pelletier accueille Paul-Émile comme aumônier de la LOC dans son diocèse de Trois-Rivières. En deux ans, il contribuera à une expansion remarquable de la LOC, qui passera de dix-huit à trente sections, avec un effectif de huit mille membres. Il est en outre aumônier de la police et des œuvres sociales. Il touche un salaire annuel de 500$, plus une allocation hebdomadaire de 10$ pour sa pension. On le nommera ensuite *directeur des retraites fermées du Cap-de-la-Madeleine,* pour la période de 1949-1951. En plus de cette accaparante responsabilité, il prononcera maintes conférences sur le coopératisme. Il donne en outre, aux grands séminaristes de Trois-Rivières, des cours sur la doctrine sociale de l'Église.

En 1951, Paul-Émile réintègre la Centrale ouvrière de Montréal. Homme au talent quasi universel et à l'activité débordante, il ne se dérobe à aucun service demandé. Son audace, son assurance, son optimisme, son entregent sont des éléments précieux. Paul-Émile écoute, conseille, stimule. Si on respecte le *cheminement,* on ne tolère guère le *stationnement.* Faut que ça marche! Le tout, dans un climat de camaraderie, d'ouverture, de compréhension, d'entraide. «On y travaillait comme des fous, mais en s'amusant...»

Rome: premier voyage

En 1955, les Oblats de la province de l'est canadien délèguent Paul-Émile, avec trois confrères, à un congrès regroupant une soixantaine de prédicateurs Oblats provenant d'une vingtaine de pays et représentant toute la Congrégation. Les assises dureront sept semaines; Paul-Émile, qui a la LOC à cœur, repère rapidement ceux qui comme lui œuvrent en Action Catholique dans divers coins du monde, pour s'enrichir de leur expérience. Le contrat qui lie les Oblats de Montréal aux mouvements spécialisés d'Action Catholique comme aumôniers nationaux parvient précisément à échéance en 1955.

À Rome même, Paul-Émile apprend avec joie que l'épiscopat francophone du Canada demande aux Oblats de continuer à animer l'Action Catholique ouvrière. Le père Albert Sanschagrin, supérieur provincial de Paul-Émile, qui lui communique la nouvelle, commente: «C'est la consécration de quinze années de travail, d'abnégation et de dévouement.» Mais arrivé lui-même au terme de son mandat comme aumônier de la LOC, Paul-Émile s'inquiète maintenant de son propre avenir, et d'un changement d'aiguillage possible. Il répond au père provincial, en date du 24 mai: «Sera-ce pour moi la fin? Vous seriez bien bon de me le faire savoir dès que vous apprendrez quelque chose à mon sujet. L'un de mes confrères de voyage vient tout juste de me dire: Il n'y a que l'Esprit Saint pour surveiller nos intérêts à distance! Je suis prêt à travailler dans la ligne que vous voudrez m'indiquer.» Le 21 juin, par décision des évêques du Québec, Paul-Émile est effectivement muté à la JOC, comme *aumônier national.* La nouvelle le rattrape à Paris, où il séjourne momentanément, sur son chemin de retour.

Grand dérangement

Ce communiqué jette de l'eau froide sur son ardeur... Songeant à sa chère LOC qu'il lorgne maintenant avec nostalgie, il ne dissimule pas sa déception, lorsqu'il écrit au père Sanschagrin, le 5 juillet:

> J'espérais vraiment demeurer à la LOC, la meilleure part, la plus stable et la plus facile. Tous mes contacts ici avaient été orientés en ce sens. Depuis douze ans, j'étais plutôt avec les papas et les mamans de

ces jeunes... Mais la voix de Dieu a parlé par votre intermédiaire et celui de la commission épiscopale. Je suis tout à fait disposé à obéir, offrant le sacrifice qu'on me demande, pour une tâche que j'appréhende. Je m'y donnerai de mon mieux; j'ai hâte de rentrer pour me mettre à l'ouvrage.

Le lendemain, il partait justement pour la Belgique, rencontrer Mgr Cardijn et les membres du bureau international. Cette visite providentielle, déjà planifiée, au berceau mondial de la JOC, et cette audience avec son fondateur ont dû lui communiquer l'étincelle qui le fera entrer de plein cœur à la JOC. Après beaucoup d'entrevues, Paul-Émile rejoint Le Havre le 29 juillet, pour s'embarquer à bord du *Samaria* de la ligne Cunard, qui mettra huit jours pour atteindre Québec. À la JOC, il ne se trouve, à ce moment-là, au niveau des dirigeants nationaux, qu'un effectif réduit et moins de trois cents membres cotisants. Avec toute la clairvoyance, le dynamisme et la détermination qu'on lui connaît, Paul-Émile arrive à point nommé pour stimuler les responsables laïques à replacer la JOC sur la rampe de lancement et donner de la consistance à ce qui est en place. En 1960, la JOC masculine comptera neuf cent vingt-cinq membres, et la JOCF mille six cents. Le salaire hebdomadaire des permanents sera porté de 15$ à 25$. On redécouvre et intensifie le rôle de

Sainte-Agathe-des-Monts, Qc, résidence des Oblats, 1959.

*Sainte-Agathe-des-Monts, Qc, jour d'oblation perpétuelle
pour Paul-Émile et ses confrères:
R. Moreau, P.-É. Pelletier, E. Robin,
Charles Charlebois, supérieur, L. Lajeunesse,
M. Forget, J.-L. Caron, B. Dicaire.
15 août 1940.*

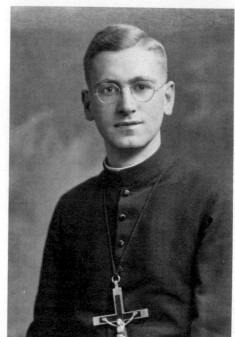

Jeune prêtre, 1940.

Ottawa, scolasticat Saint-Joseph.

*Licencié
en Sciences sociales
de l'Université Laval,
Québec 1945.*

*Les «romains»: L.-P. Nobert, P.-É. Pelletier,
N. Harvey, L. Laberge, G. Morissette. Rome, 1955.*

Comités nationaux du Canada français, JOC et JOCF.
Centrale, 1019, rue Saint-Denis, Montréal, 1957.

Avec
Joseph Cardijn,
1959.

l'équipe, et on multiplie les services à la jeunesse. De Paul-Émile on pourra dire qu'il a bien discerné la dynamique de la JOC et favorisé la croissance des filles et des gars, en les incitant à assumer leurs responsabilités.

«Forcez-les à entrer»

Paul-Émile a embauché une multitude de militants et de bénévoles dans tous les domaines de ses activités. À sa tante, religieuse de la Congrégation de Notre-Dame, il écrivait: «Priez votre bonne Sainte Vierge qu'elle nous aide à dépister les jeunes apôtres dont nous avons besoin en JOC.» Convaincu par ailleurs du «aide-toi, le Ciel t'aidera», il usait de son discernement, de son flair et de son pouvoir de séduction pour entraîner ceux et celles qu'il estimait aptes à faire avancer le Royaume, sa patente! Humain dans son approche, il savait adapter ses appâts. En riant, il concédait avoir parfois fait du tordage de bras: «S'ils ne veulent pas signer, je les enfarge.» Avec tout son éventail d'atouts, ce n'était pas son procédé habituel. À des filles et à des gars il a dit: «Fais confiance au Seigneur, laisse ta job, viens travailler à la Centrale à 15$ par semaine, t'es capable.» Un ami des premières heures, et de

toujours ensuite, avoue, complice: «C'est inimaginable, ce qu'il avait d'irrésistible. Ratou-
reur, il nous convainquait qu'il avait besoin de
nous. Quand il avait mis le grappin sur quelqu'un, celui-ci était poigné. Je me suis toujours
méfié de lui...» Interpellés dans leur générosité
et invités au dépassement, bien rares les jeunes
qui osaient résister!

Formateur dynamique

Paul-Émile énonçait ainsi l'un de ses principes: «Jette le toutou à l'eau, qu'il apprenne
à nager!» Tout étant toujours urgent pour Paul-
Émile, il entraînait son monde parfois plus rapidement que d'aucuns l'eussent souhaité, se sentant un peu «charriés». «Venez-vous en, la
gang!» Optimiste, rien ne lui semblait impossible et il montrait que ce qu'il demandait était
réalisable. Bougie d'allumage, multiplicateur,
il lançait un groupe, l'accompagnait, puis le laissait à ses propres moyens; il le larguait en plein
courant, avec son initiative comme gouvernail.
Il ne s'attardait pas à l'œuvre qui fonctionnait.
Missionnaire, il était déjà rendu ailleurs. D'après
lui, l'apprentissage se fait bien davantage dans
l'action, sur le tas, que dans des cours et sessions. Il savait confier une responsabilité au bon

type. «Toi t'es bon, j'en voudrais d'autres comme toi.» Quand le jeune découvrait que Paul-Émile disait la même chose à plusieurs, c'était trop tard, déjà enfirouâpé!

Les méthodes de formation utilisées par Paul-Émile et ses coéquipiers laïques donnaient le résultat suivant: les gens réalisaient qu'ils avaient été embauchés pour leur propre bénéfice. Invité à parler à un groupe agonisant de jeunes en passe de dépression, Paul-Émile les dynamisait en les relançant: «Essayez encore une fois, vous êtes capables!» Il leur communiquait une grâce de force. Les invitant à la persévérance, il leur disait: «Je ne vous ai pas formés pour rien.» N'ayant besoin de quiconque pour lui tenir la main, il accorde naturellement aux autres les coudées franches qu'il revendique personnellement. Ceux et celles qu'il a si positivement bousculés sont finalement unanimes: «Paul-Émile m'a tellement apporté, il m'a aidé à me découvrir, a fait germer en moi ce que j'ai de meilleur; avec lui et les entraîneurs laïques, je ne pouvais que grandir.»

Au travail!

Éperonné tout jeune au labeur par ses père et mère, Paul-Émile deviendra à son tour un entraîneur irrésistible. Bulldozer, fonceur, il «rentrait comme une locomotive», pour travailler du matin jusqu'au soir. Avec son sens de l'organisation, il décidait vite, embarquait rapidement, faisait débloquer les choses, n'hésitant pas à risquer, bien servi d'ailleurs par son intuition. Capable de poursuivre plusieurs projets à la fois, il fut perçu par d'aucuns plus bâtisseur qu'éducateur, plus réalisateur qu'inventeur. Convaincu que le succès tient à 5% d'inspiration et 95% de transpiration, il n'était pas arrêtable, ignorant tout du fonctionnaire qui «fait ses heures». Gros fumeur et buveur de café dans ses bonnes années, moins patient que d'autres, il eût probablement été mauvais pêcheur!

N'ayant rien du bureaucrate et un peu désordonné, un cadre trop rigide l'eût étouffé. Imaginatif, il arrivait certains matins avec une idée qui avait surgi nuitamment. Propagandiste du *Front Ouvrier,* commun à la JOC et à la LOC, il prêchera pour ce journal cinquante-deux dimanches par année, faisant ainsi le tour du Québec! Plusieurs se sont demandé où il se terrait lorsque fut départie la modération! Sur la fin de sa vie, il avouera avoir travaillé comme un fou. Ce qui fascine, ce n'est pas qu'il ait accompli tant et de si grandes choses, mais qu'il ait sans cesse maintenu un rythme, un élan si étonnants! Il aurait sans doute eu quelques bonnes discussions avec Mgr de Mazenod, fondateur des Oblats, lui qui avait écrit: «Il est une mesure à garder, même dans l'exercice du zèle...»

«Missionnaires de l'intérieur»

C'est ainsi que Cardijn avait surnommé les jocistes invités à laisser leur patelin pour aller implanter ailleurs la JOC. Pendant que les clergés séculier et surtout régulier avaient leurs ambassadeurs de la foi, la JOC avait ses missionnaires. Au début de 1960, cette embauche connaît une expansion étonnante, due en bonne partie à l'impulsion imprimée par Paul-Émile qui expliquait ainsi l'engagement: «Pour être missionnaire jociste, il faut se quitter personnellement; puis, progressivement: *sa gang; son usine; son quartier; sa ville; sa province;* et finalement *son pays.*» Ainsi, des émissaires du mouvement traversèrent de Montréal à Ville Jacques-Cartier; puis allèrent ensuite à Rouyn et Baie-Comeau. Enfin, graduellement, du Canada aux Antilles, au Maroc, puis en Algérie. Les jeunes missionnaires devaient payer leur passage, gagner leur vie, et bien sûr, transplanter la doctrine jociste. Quelques couples québécois se sont connus et mariés à l'étranger; d'un commun accord, d'autres retardaient leur mariage, afin de parfaire un travail amorcé.

Angoisses financières

En 1957, Paul-Émile fait des démarches en vue de rendre la JOC bénéficiaire de l'usufruit d'un héritage provenant d'abord de son oncle Georges et de sa tante Blandine; puis plus tard de ses père et mère. Il en avait précédemment gratifié le séminaire oblat de Chambly. Cette année-là, il parle à son supérieur provincial de «ses aptitudes assez limitées dans le domaine de la sollicitation d'argent. Chaque année, il nous manque environ 5 000$ pour boucler le budget de la JOC masculine.» Là comme ailleurs, peut-être contraint par la nécessité, il évoluera et acquerra une facilité d'approche qui s'avérera très efficace, convaincu que si Dieu veut la JOC, il fera les miracles nécessaires. De miracles ils auront besoin! Saint Joseph, patron des ouvriers, établi responsable des intérêts matériels de la Centrale jociste avait peu de chances d'oublier ses engagements. Un mercredi chaque mois, tout le personnel du 1019 rue Saint-Denis se retrouve à l'Oratoire du Mont-Royal où, au cours d'une célébration eucharistique, il déploie devant son céleste bienfaiteur la liste détaillée de ses besoins en personnel et en argent. On marchait dans un sillage déjà tracé...

Cardijn lui-même, au tout début de son œuvre, cherchait un immeuble susceptible d'abriter le secrétariat international de la JOC. Il découvre précisément ce qu'il lui faut, au 75 rue Poincaré, à Bruxelles; mais... c'est à vendre, et à gros prix. Cardijn fera tant et intercédera si bien, auprès de Notre-Dame de Fatima et des propriétaires, qu'on finira par lui remettre gracieusement la clef du bâtiment!

La Providence veille

Début mars 1956, la Centrale est officiellement avisée par la ville de Montréal que la façade de sa bâtisse menace écroulement et doit être réparée dans un délai de trois mois, sinon on apposera les scellés... Ça ne déclenche pas la panique, mais presque! Si bien que le 14, tout le monde est éveillé à bonne heure et on gravit le Mont-Royal: *c'est marqué pressé.* Acculé à cette redoutable échéance, c'est non seulement l'édifice, mais l'oeuvre qui frôle la ruine. Saint Joseph lui-même, attendri par la détresse de ses jeunes protégés, réagira vivement. *Ce même jour,* est signé, à Victoria, C.B., un chèque de

5 000$, qui parvient au supérieur provincial des Oblats, à Montréal le 19 suivant (et remis à la JOC le jour même) avec cette brève explication: «Voulant avant de mourir disposer des biens temporels qui me restent, je pense à la JOC, dont vous avez été les organisateurs et le meilleur soutien.» C'est signé: †Joseph Charbonneau...

La réalité se moque ici de la fiction! La Providence a de ces façons inattendues de répondre à la prière confiante, attestant sa présence discrète et attentive. Paul-Émile commentera: «On est capable de faire des miracles!» Fort de cette foi si souvent récompensée, Paul-Émile la rendra contagieuse et saura tendre la main pour assurer son salaire ou celui des permanents. À l'occasion, des pauvres bénéficieront de ses largesses, ses amis deviendront bailleurs de fonds. Parti un jour de Montréal avec 10$ en poche, il revient avec 300$ et avait, chemin faisant, trouvé le moyen de troquer sa vieille voiture contre une neuve. «Vous allez faire pareil», disait-il à ses proches collaborateurs.

«Je dois tout à la JOC»

«Si je suis capable de m'organiser, si j'ai pu aller au bout de mes projets, si je suis dégêné, épanoui, si je suis resté engagé, je le dois à la JOC qui a été déterminante pour moi et m'a fait découvrir ma vie intégrale. » Ce témoignage fuse de la plupart des permanents de la JOC devenus par la suite militants en milieux scolaire, familial ou social. Plusieurs auraient pu s'orienter vers des postes plus lucratifs, mais ont voulu œuvrer dans des organismes d'Église ou de développement, en fidélité avec leur entraînement jociste. Ils continuent d'ailleurs d'utiliser comme méthode de synthèse le Voir, Juger, Agir. Un livreur d'épicerie qui n'a eu d'autre cours que ses huit ans à la JOC est devenu assistant-chef de nouvelles à *La Presse,* président du syndicat des journalistes et vice-président de la CTCC.

L'Action Catholique, qu'on a surnommée *L'Université ouvrière,* ne décernait aucun diplôme, mais dispensait une formation solide, donnait de la maturité, aiguisait le sens des responsabilités sociales et chrétiennes. On y acquérait le goût de l'étude, de la culture. C'est ainsi que des gens incapables de prendre la parole en public ont appris à animer des réunions, paraître à la télévision. Des travailleuses *ordinaires* sont devenues responsables nationales et des délinquants se sont mués en leaders. Les entraîneurs voyaient émerger des personnes auparavant timides et craintives. En retour, les jeunes se préoccupaient de ce qu'ils appelaient le *déca-page des aumôniers*: réviser avec eux ce qui dans leur formation, théologique ou autre, avait pu les couper de la réalité de la vie.

Une grosse année: 1957

Elle débute mal pour Paul-Émile qui écrit, en mai, à son supérieur provincial: «Depuis janvier, j'ai eu cinq ou six mauvaises grippes qui se sont acharnées. Les responsabilités que j'assume ne sont pas étrangères à cette fatigue et à ces insomnies. Pendant cette neuvaine au Saint-Esprit, je m'abandonne.» Quelles sont ces responsabilités? D'abord, sa charge d'aumônier national de la JOC, puis le programme de l'été: réunion nationale du Service de Préparation au Mariage et réorganisation du secteur; session intensive pour les anciens; centres d'entraînement pour filles, garçons et aumôniers; préparation des célébrations qui signaleront le retour des pèlerins de Rome, etc.

Ralliement mondial de la JOC

Le *jubilé d'argent de la JOC canadienne* coïncide avec le *rassemblement* de quelque trente-quatre mille jocistes, venant de quatre-vingt-dix pays, dans la Ville éternelle à la fin de l'été. La délégation québécoise comporte cent trente-cinq jeunes, à part les dirigeants nationaux et l'aumônier. Paul-Émile avait fait des démarches pour que son assistant, le père Louis Raby, accompagne le groupe. Mais le père Raby recevant sur ces entrefaites une obédience pour l'Université d'Ottawa, il fut finalement décidé que Paul-Émile devait lui-même aller à Rome.

Il semble que le Saint-Esprit ait sérieusement assumé sa tâche, puisqu'il n'est plus question de fatigue chez Paul-Émile, qui avoue cependant «avoir à peine le temps de respirer». Le 15 août, il prend place à bord d'un avion KLM à Dorval, pour participer au *Congrès mondial* et au *Conseil international de la JOC*. Entre autres préparatifs à cet événement avait été lancée une grande croisade auprès des malades. Au-delà de cinq mille d'entre eux signeront un acte d'offrande de leurs prières et souffrances pour la JOC. Ces assises furent éblouissantes, au dire de la presse romaine et canadienne. *L'Osservatore Romano* affirme: «Jamais Rome n'avait vu un congrès aussi enthousiaste, aussi ordonné et discipliné! La plus belle manifestation jamais vue, de mémoire d'homme...»

Le saint-père Pie XII a prononcé en français «un discours qui est une véritable charte

du jocisme, le *Rerum Novarum* de la JOC»,
dira le père Léo Deschâtelets, supérieur général des Oblats. Le numéro folklorique des jocistes francophones a été vivement goûté, et le
chant *Alouette* a remporté un vif succès. Fière
d'avoir participé à un événement si exaltant, la
JOC québécoise repart, convaincue de la no-
blesse et de la nécessité de sa tâche.

Les archevêques et évêques du Canada
décident de tenir, en mars 1960, un *carrefour
sur l'Apostolat en milieu ouvrier* qui réunirait
les aumôniers d'Action Catholique ouvrière et
de syndicats, de même que les prêtres en paroisses ouvrières. Pour en assurer le succès, on fait
appel à Paul-Émile et, en octobre 1959, on lui
confie la présidence du comité d'organisation
de ce projet.

Rio de Janeiro

Durant la première quinzaine de novembre
1961, l'ancienne capitale du Brésil accueillait le
deuxième Conseil mondial de la JOC. Paul-
Émile s'y rend, accompagné de trois présidents
nationaux. Ils se mêleront aux deux cent soixan-
te délégués de quatre-vingt-cinq pays. On y
prend fortement conscience de la force de la
JOC internationale, qu'on surnomme *Les*

Nations Unies Junior, «avec un esprit de charité et d'apostolat...» On trace les lignes d'action des quatre prochaines années. Paul-Émile est nommé Aumônier de la JOC de l'Amérique du Nord; une responsable laïque québécoise sera élue permanente au siège de la JOC internationale, à Bruxelles.

Autre année active: 1962

En mai, Paul-Émile fait part à son supérieur provincial, le père Jean-Charles Laframboise, des grandes lignes de son programme: Juillet: accompagner Cardijn aux États-Unis et en Acadie. Le cher homme qui compte quatre-vingts printemps ne voyage plus seul. Le 19 août, grand ralliement de la JOC au Cap-de-la-Madeleine. En septembre, le *Comité exécutif international* et le *Collège international des aumôniers* doivent se réunir à Usumbura, Burundi. Paul-Émile écrit au père Laframboise: «Vous direz peut-être que je vous arrive avec des choses pas mal décidées. Je voudrais pourtant rester sous l'égide de mon obéissance religieuse. Voilà pourquoi je vous les soumets bien simplement.» Le provincial de lui répondre: «Je vous suis non seulement sympathique, mais j'essaierai de faire tout en mon pouvoir pour faciliter votre tâche et celle de vos bons assistants. »

Au Cap-de-la-Madeleine accourront quinze mille fidèles et dix mille jocistes, pour fêter le demi-siècle de Cardijn à la JOC. L'octogénaire préside à l'engagement de deux cents nouveaux jocistes. Quant à la rencontre internationale qui devait avoir lieu au Burundi, elle fut, pour diverses raisons, déviée sur Berlin Ouest. Parti de Montréal le 8 septembre, Paul-Émile y rencontre le Comité Exécutif International, formé de dix-huit dirigeants et dirigeantes, et de six aumôniers, venant de tous les continents. On y crée un *Service international de Formation et de Développement Communautaire.* Paul-Émile écrit, au sujet de cet autre voyage à l'étranger: « C'est une faveur exceptionnelle qui m'aide à avoir le cœur encore plus catholique. »

Sous le signe de la croix

Paul-Émile a beau être relativement fort, travailler avec aisance, manœuvrer avec souplesse dans son univers, il n'en subit pas moins la contrainte inhérente à des responsabilités si lourdes et si nombreuses. À un moment donné, son organisme se cabre; trop c'est trop! Printemps 1964, Paul-Émile — qui n'a pourtant que

49 ans — subit une grave attaque cardiaque; œdème aigu du poumon, dix jours en équilibre instable entre la vie et la mort. Il séjournera trois mois à l'hôpital, dont les trois premières semaines dans un coma profond. En lui prescrivant un an complet de repos, son médecin lui dit: «Veux-tu vivre? Cesse de te casser la tête!»

Fin juin, le père Deschâtelets, supérieur général, écrit au père Victor-Marie Villeneuve, supérieur de Paul-Émile: «Je remercie Dieu de nous avoir conservé notre cher père Paul-Émile. J'ai appris la grave maladie qui l'a terrassé, j'aurais voulu lui envoyer un mot. Combien j'ai prié pour que le Seigneur nous le conserve et le garde à son travail si important! Faites tout pour lui assurer le repos et l'aide dont il a besoin.» La commission épiscopale d'Action Catholique par l'entremise de son président, Mgr Lionel Audet, exprime à Paul-Émile ses regrets et dit sa reconnaissance pour le bien réalisé, souhaitant un entier rétablissement. De Bruxelles, son vieil ami Cardijn s'émeut et lui communique: «Je vous exprime la sympathie de la JOC mondiale. Soignez-vous bien et guérissez complètement, nous avons besoin de vous!»

Paul-Émile guérira!

La sympathie générale, les bons soins, les prières ardentes, une indomptable volonté de vivre et une convalescence de trois mois chez l'une de ses sœurs obtiendront le miracle. Paul-Émile s'en sortira, il a encore vingt ans de vie en réserve. Au point que ceux qui ignorent ce violent traumatisme coronarien auront peine à le croire, quand ils rencontreront Paul-Émile dans les années subséquentes. «Les cheveux m'ont blanchi», dira-t-il, faisant allusion à cette période cruciale de sa vie. Il en ressortira assagi, même si ce n'est pas toujours évident...

En juillet 1964, il offre à Mgr Audet sa démission comme aumônier national de la JOC:

> Je considère comme une grande grâce d'avoir travaillé à l'Action Catholique pendant dix-sept ans: neuf ans à la JOC et huit ans à la LOC, incluant Trois-Rivières. J'ai été témoin et instrument de ces effusions de grâces, de ces générosités incalculables dans les âmes des travailleurs. Je garde de mon long stage un tel amour de l'Église je recommencerais si on me le demandait. Mais gravement atteint, et soumis à un long repos, l'heure est venue de suggérer que l'on me remplace. La JOC est si importante qu'elle nécessite un aumônier en pleine santé.

TROISIÈME PARTIE

Ressuscité, il repart!

1965 – 1972

De nouveau en piste

Remis en assez bonne condition, Paul-Émile commence à trépigner d'impatience. On ne tardera d'ailleurs pas à faire appel à ses talents et à son expérience, surtout en faveur de sa famille religieuse, les Oblats de Marie Immaculée, spécialement à l'intérieur de la province Saint-Joseph. En juillet 1965, le père Jean-Charles Laframboise, provincial, demande sa collaboration à une commission provinciale, en vue du Chapitre général des Oblats qui aura lieu l'année suivante. En août, on l'envoie résider à Saint-Pierre-Apôtre de Montréal, en le nommant responsable des jeunes Oblats prêtres, stagiaires en pastorale. Les derniers mois de 1965 sont consacrés à la préparation immédiate du Chapitre général auquel ses confrères de la province le délèguent officiellement en octobre.

Les Pelletier et l'année 1965

Rose-Alma et Lionel ayant convolé en 1915 et Paul-Émile ayant été fait prêtre en 1940, cette année de grâce 1965 marquait donc pour eux un double et insigne jubilé. Les Pelletier qui ont le sens de la fête incrusté dans toutes leurs fibres familiales ne pouvaient ratcr cette occasion de célébrer! Paul-Émile avait suggéré de faire coïncider les deux anniversaires, ce que la mère, qui, sachant à quoi s'en tenir, écarte d'un revers de la main: «Tu vas nous éclipser.» Célébrées le 31 juillet, les noces d'or des parents donneront lieu à de grandes réjouissances, que rien ne viendra ombrager. Paul-Émile remplit la fonction de maître de cérémonies. Par une heureuse coïncidence, tous les enfants sont présents, y compris ceux qui déjà ont établi leurs pénates à l'étranger!

Vingt-cinquième de Paul-Émile

Trois mois plus tard, soit le 16 octobre, c'est au tour de Paul-Émile de rassembler tous les siens, pour encore rendre grâce de ses années de sacerdoce. Ça se passe à son Alma Mater, le collège de L'Assomption, dont il suivit le 95e cours. La famille y accourt nombreuse, de même que des amis, soit au total près de deux cents personnes. Parmi les concélébrants, Paul-Émile compte ses trois frères prêtres, quelques confrères Oblats, dont le père Jean-Louis Dion, ami de vieille date et aumônier national du MTC[1],

---

[1] Mouvement des Travailleurs Chrétiens.

qui prononcera l'homélie. Paul-Émile ressuscité de sa grande maladie est tout ragaillardi par une fête si réconfortante. D'autant plus qu'une automobile lui est offerte en guise de souvenir!

Paul-Émile et sa famille

Ce qui précède nous amène à voir quelles ont été, dans ces années, les relations de Paul-Émile avec ses proches. Issu du terroir familial, il y est resté profondément et fidèlement enraciné. Fier de tous ses parents, ce sera un honneur pour lui de les *montrer* en diverses circonstances, surtout lorsque de passage à Lavaltrie, lui et ses covoyageurs y bénéficieront de l'accueil traditionnel! Les siens qui l'avaient *donné à la mission,* verront sa famille s'agrandir démesurément et comprendront qu'il ne leur appartient plus en exclusivité. Paul-Émile ne viendra pas tellement souvent dans sa famille, mais avec quel plaisir, à chaque fois! Il présidera aux grands événements, comme au décès de sa mère, en mai 1972 et à celui de son père, en janvier 1978. À ces deux occasions, ce furent des déplacements considérables de monde, pour une famille si exceptionnelle. Jamais on n'avait vu tant de gens, au salon funéraire ou à l'église, de si nombreux concélébrants, soit plus d'une cinquantaine à chaque fois.

Chapitre général: 1966

Dans une Congrégation comme celle des Oblats, le Chapitre général constitue l'autorité suprême et se réunit normalement tous les six ans. Celui de 1966, le vingt-septième depuis le début de la Congrégation, avait comme mission spéciale de préparer un texte de Constitutions et Règles, pour soumettre à l'approbation de la Congrégation des religieux. Les deux Chapitres précédents en avaient parlé, mais les tendances s'opposaient. Les uns préconisaient une simple révision des Règles déjà existantes; d'autres, dont Paul-Émile, en voulaient de toutes nouvelles, inspirées des récents décrets du Concile Vatican II.

On peut affirmer que les délégués des provinces Notre-Dame-du-Rosaire et Saint-Joseph — dont les pères Pierre-Paul Asselin et Paul-Émile Pelletier — ont joué un rôle prépondérant en enclenchant un mouvement qui a fait débloquer l'impasse. Représentant l'élément dynamique et progressif de la Congrégation, ils incarnaient le renouveau, dans la foulée du Concile Vatican II.

Travail colossal

Paul-Émile et d'autres ont formé un groupe de pression qui a influencé le Chapitre dans le sens de *Constitutions nouvelles,* en esprit d'ouverture aux besoins de l'Église et du monde, *«dans une volonté de renouveau»*. Hommes d'action, Paul-Émile et Pierre-Paul, tous deux anciens aumôniers nationaux d'Action Catholique, pouvaient aussi s'asseoir et rédiger, résumer une pensée, l'étayer de références au Concile. Le texte qui en est sorti sera approuvé «à l'essai» par le Saint-Siège; le supérieur général pourra écrire qu'il a force de loi.

Ces Règles seront en vigueur jusqu'en 1982, alors que seront promulguées les Règles définitives. Paul-Émile déplorera qu'on n'y ait inséré tel quel l'article N° 11 de cette édition 1966, possiblement rédigé par lui, mais qui en tout cas reflétait bien ce qu'il vivait: «Sachant que l'Esprit de Dieu est déjà agissant au cœur des personnes, des communautés et des événements, l'Oblat sera attentif à cette présence pour la révéler, et disposer les volontés à l'accueillir.»

Immédiatement après le Chapitre, Paul-Émile s'accorde, en compagnie de deux confrères, une courte détente, en Allemagne, en Autriche et en Suisse puis revient à Rome compléter certains travaux, comme celui de traduire, avec d'autres, bien sûr, les Constitutions et Règles en latin. À ce propos, il écrit: «Avec mes lointaines connaissances de la langue de Cicéron, je suis plus spectateur qu'acteur...» Période de travail intense, mais gratifiant pour les participants, Paul-Émile en particulier, qui a mis tout son cœur à collaborer à une rédaction qui a de l'esprit, du souffle. Ce Chapitre a imprimé un tournant dans l'histoire de la Congrégation; en tous cas dans la province Saint-Joseph, qui ne fut plus la même après. Parti en janvier de Montréal, Paul-Émile y revient en mai. À tout calculer, il aura consacré au-delà de six mois à ce courageux schéma d'aggiornamento oblat.

Chez Notre-Dame du Cap

La dilection la plus sacrée, profonde et durable dans la vie de Paul-Émile, fut à l'endroit de Notre-Dame du Cap. Le vieux Sanctuaire et ses riants abords étaient pour lui des lieux privilégiés. Dévôt à Marie, il ne pouvait passer au Cap sans bonjourer la Madone, lui confier sa personne et ses œuvres. À maintes reprises, on l'invita à prêcher. Entre autres en septembre 1958, à titre d'aumônier national, lors du *huitième pèlerinage provincial de la*

JOC. Sa contribution majeure fut lors de la *grande neuvaine de 1968,* alors qu'il avait prêché quatre soirs. Il avait dit: «Citoyens à part entière de la cité spirituelle, les laïques doivent être des agents d'unité et d'engagement à l'intérieur de l'Église.» Le 10 août 1980, autour du thème *Créés à l'image de Dieu,* il avait parlé du *couple,* affirmant: «Aujourd'hui, *Croire,* c'est *Aimer.*» Il fit sa dernière apparition au Cap en août 1985, à la veille de s'engager sur la voie d'évitement... Le Sanctuaire et la Basilique auront été pour lui des chaires de prédilection.

Consulteur provincial

En août 1967, Paul-Émile, déjà membre du conseil provincial à temps partagé, est invité à déménager de la rue Visitation à l'avenue du Musée, à Montréal toujours, pour se consacrer à cette fonction à plein temps. Son supérieur provincial, le père Aurélien Giguère, s'exprime ainsi: «Je veux pouvoir compter sur votre présence pour mener à bien tous nos projets d'études et les œuvres de la province. Il y a une planification importante à établir.» Au sein du conseil provincial, Paul-Émile animera la pastorale des Oblats engagés en dix-huit paroisses francophones du Québec et de l'Ontario. Il remue passablement de choses, en instaurant les visites systématiques des paroisses, ces «missions permanentes». Ouvert à l'engagement des laïques, il incite à former partout des conseils de pastorale. Il rédige les actes de visites, assortis d'enquêtes sociologiques. Réminiscence du voir-juger-agir de la JOC! Il apporte à ses rédactions la coloration de son vocabulaire. Fut-il heureux, comme consulteur provincial? Il serait peut-être osé de l'affirmer...

Le supériorat ne fut jamais offert à Paul-Émile, du moins, le croit-on. Et ce fut judicieux. Cette fonction, semble-t-il, ne lui eût pas laissé la mobilité essentielle à son engagement populaire. Fournir un bon effort, comme pour le Chapitre oblat de 1966, ça lui plaisait et il y excellait, on l'a vu. À condition que l'échéance ne fût pas trop reculée. Paul-Émile apprécia que les deux provinciaux, dont il fut assistant, lui aient laissé ses contacts avec l'Action Catholique. Ne se sentant pas déraciné, il a pu conserver son élan, son intérêt.

En janvier 1969, Paul-Émile prêche aux Oblats du Manitoba, à Saint-Norbert. En juin, il est invité par le supérieur de la maison générale des Oblats à Rome, à y donner les exercices de la retraite annuelle. Il décline cet engagement, en répondant au père Voogt: «Je ne vois pas comment je trouverais le temps de préparer une retraite adaptée à votre communauté.» Quittant la maison provinciale, Paul-Émile passera l'année 1970-1971 au presbytère Sainte-Bernadette de Montréal. On le nomme responsable du bureau montréalais de Novalis, rue Saint-Hubert, de son service de l'homilétique et de ses publications familiales.

Sa dernière obédience

De Sainte-Bernadette, en juin 1971, Paul-Émile écrit au père Giguère: «Je voudrais donner beaucoup plus de temps à la pastorale familiale et organiser un vrai centre de consultation et d'animation. Pour la commodité des services: téléphones, parloirs, etc., j'ai pensé que dans une maison comme Saint-Pierre-Apôtre, ça compliquerait moins la vie de tout le monde.» Il fut effectivement envoyé à Saint-Pierre-Apôtre où il se lance à plein dans les entrevues. Paul-Émile demeurera rattaché à cette résidence jusqu'à son départ définitif pour Richelieu, en septembre 1985.

Au diocèse de Saint-Jean-Longueuil

Au mois d'août 1972, Mgr Gérard-Marie Coderre écrit à Paul-Émile: «Sur présentation de votre supérieur religieux, je vous nomme par les présentes *adjoint à l'Office diocésain de la Famille, de Saint-Jean.* Puisse le Seigneur vous assister de ses grâces et de ses lumières.» Paul-Émile occupera un bureau au centre diocésain, sis boulevard Sainte-Foy à Longueuil et débutera avec un contrat d'un an, renouvelable. Au terme de sa première année, il exprime sa satisfaction et son désir de continuer. Le rapport de ses activités pour cette période est quasi incroyable! En voici un aperçu: quatre cent cinquante-six entrevues en huit cent trente-deux heures; sept prédications dominicales; neuf soirées conjugales — regroupant de quatre cents à sept cents personnes — vingt conférences, quinze journées d'études, deux retraites, onze mariages et autant de funérailles; deux baptêmes, trois fiançailles, etc. Le bilan impressionne son provincial qui l'en félicite. Quoi ajouter à cela? Bien d'autres choses non dénombrées: déplacements, visites à des parents, amis, anciens qu'il faut encourager à tenir, etc. On signale toutefois son assiduité et sa ponctualité au bureau.

La Famille!

Tout doucement, insensiblement, Paul-Émile vient d'entrer dans sa troisième et dernière carrière: la famille. Toute sa vie l'y a préparé, notamment son stage en Action Catholique: *La Famille,* il en vit, il en mange, et... il en mourra! Selon le dicton: «Les causes qui meurent sont celles pour lesquelles on ne meurt pas.» Qu'importe, il y sera extrêmement heureux, connaîtra un succès phénoménal, deviendra légendaire, et pour sa part, *sauvera la famille.* Conférencier, il dira:

> Si je suis ce que je suis, heureux dans ma peau, c'est parce qu'*un couple a dit oui.* Le monde recommence là où un couple décide d'accueillir la vie. Mon père et ma mère ont été amoureux durant les cinquante-huit ans qu'ils ont vécus ensemble. C'est avec papa et maman que j'ai appris à aimer, à prier, à lutter. C'est à l'intérieur de ma propre famille que j'ai découvert la joie, l'amour. Le meilleur en moi vient de ma famille.

À la famille on a donné les plus beaux noms: *tissu, trame, cellule fondamentale et indispensable de la société, lieu d'appartenance, d'expérience, de relation, de croissance, de fidélité; endroit où l'amour prend racine dans un coin de terre; église domestique, première éducatrice de la foi,* etc. Paul-Émile disait *la famille* comme il aurait dit *la patrie*! Il avait en la famille une croyance que ne partagent pas tous les prêtres. Habité par le projet de sauver la famille, il devint un chef de file dans une pastorale où il n'y avait pas d'encombrement et où pourtant les besoins sont toujours si grands.

Merci à Saint-Jean-Longueuil

L'arrivée de Paul-Émile à Longueuil marquera là aussi une étape. Adjoint de l'abbé Marcel Trudeau à *L'Office de la Famille,* c'est le branle-bas! En amour avec son travail, il se lance dans mille projets, «voit ben du monde, brasse ben des affaires.» Il s'efforce d'intéresser les prêtres à la relation d'aide aux couples; il se mêle à tout: *SOF, SPM, familles monoparentales, Rencontres, Rendez-vous, couples aidants,* et on en passe! De l'avis de ses collègues, à cinquante-sept ans, il est plein d'ardeur, dans le feu de sa jeunesse!

C'est l'ère du «counseling psychologique» où Paul-Émile est expert. On s'affaire à regrouper les mouvements de couples, afin de travailler en complémentarité et non en concurrence. *C'est à Longueuil que Paul-Émile inaugure les Soirées d'amour, en 1973.* Il en tiendra dans une dizaine de paroisses. Une secrétaire qui a travaillé cinq ans à proximité de Paul-Émile lui rend le témoignage suivant:

Je l'ai parfois vu accablé ou fatigué, mais jamais de mauvaise humeur. Il n'était pas bousculant; quand il apportait un texte à taper, ça n'était jamais urgent: demain! Bien écrits, aérés, ses manuscrits étaient impeccables: disposition déjà faite, sans faute! Espiègle, il taquinait, clignait de l'œil, dédramatisait. À l'occasion d'un Noël, les membres du personnel avaient pigé secrètement le nom d'une personne à qui offrir un cadeau. Me donnant de l'argent, Paul-Émile me dit: Veux-tu aller m'acheter un article, c'est pour une femme et je n'ai pas beaucoup d'idée... prends-le à ton goût, il sera le mien, je te fais confiance. Je reviens toute fière, disant à Paul-Émile: elle va être contente. C'était *mon* cadeau!

Si Paul-Émile a laissé Longueuil pour réintégrer Montréal ce n'est pas qu'on le destituait ou qu'il était tanné. Tous auraient souhaité le garder et il ne désirait que continuer. Approché par Mgr Jean-Marie Lafontaine de Montréal, mû par son sens missionnaire et séduit par un nouveau défi, il se laisse attendrir. Pour le diocèse de Saint-Jean, ses compagnes et compagnons de travail, il aura ce mot très flatteur: «Je suis venu apprendre à Longueuil.»

À Montréal

La transition se fera en douce, puisque durant une année Paul-Émile essaiera de répartir en temps égal ses activités, des deux côtés du fleuve. En septembre 1976, il est nommé par l'archevêque, Mgr Paul Grégoire, aumônier du SOF du diocèse de Montréal. Paul-Émile écrit à son supérieur provincial, le père Gilles Cazabon: « Je suis fier de cette nomination; tout est permis comme projet. Un peu essoufflé de ce temps-ci, j'essaie de m'ajuster à mes deux mi-temps, on a bien tendance à me demander du plein temps! » En juillet 1977, Mgr Grégoire écrit à Paul-Émile: « Je vous nomme *responsable du service diocésain de la pastorale familiale, aumônier du SOF* et *aviseur moral* auprès de *Ano-sep* (séparés anonymes). Je vous remercie de servir l'Église de Montréal dans cette tâche essentielle. »

Plein de confiance

En octobre, Paul-Émile écrit au père Cazabon:

Je suis rendu au 1207 rue Saint-André, au bureau du SOF et du SAPM (Service d'Animation à la Préparation au Mariage). J'ai deux aides: une religieuse du Bon Pasteur qui arrive de l'Université Saint-Paul d'Ottawa avec une maîtrise en counseling matrimonial et une religieuse de l'Immaculée Conception qui sort de l'Institut des Dominicains avec une maîtrise

Comités nationaux du Canada français, JOC et JOCF.
Assis: *Roger Poirier, Jean-Marc Lebeau, Joseph Cardijn,*
Denise Gauthier, Paul-Émile Pelletier;
Debout: *Marcel Savaria, Gaétane Ménard, Yves Dulude,*
Ghislaine Patry, Gilles Gagnon, Guy Desrosiers,
Jean-Marie Malenfant, Bernadette Dionne,
Raymonde Lapointe, Bernard Buisson.
Montréal 1959.

Joyeux conférencier.

*Notre-Dame du Cap,
septembre 1958.*

ROSAIRE PERPÉTUEL

VERCHERES   ST-J Q
VARENNES   ST-J Q
ST-JEROME   CATHEDRALE
STE-MARCELLE   S-J
MONTREAL ST- SACREMENT

Cap-de-la-Madeleine, 11 août 1971.

Portrait de famille, à l'occasion des noces d'or des parents.
Assis: *Marcelle, Olive, Lucille, Lionel, Rose-Alma,*
Gisèle, Solanges, Thérèse;
Debout: *Germain, Raynald, Georges-Guy,*
Jean-Léo, Paul-Émile. Lavaltrie, 1965.

en pastorale spécialisée. Elles jouent un rôle indispensable. Comment pourrais-je fonctionner sans elles? Ma tâche est plus missionnaire que bien d'autres, c'est un grand défi que j'ai relevé comme directeur-fondateur d'un Office de la Famille pour cet immense diocèse. Mon travail est d'abord de former un laïcat chrétien au leadership. Ma confiance est dans le Seigneur.

Et l'atterrissage...?

En juillet 1980, le père Félix Vallée, supérieur provincial, reçoit de Paul-Émile un volumineux rapport de ses activités avec cette brève note: « J'ai besoin de mes vacances. » Ce qui lui vaut immédiatement la réponse suivante:

Je loue le Seigneur de vous conserver en vie malgré tout votre travail (j'allais spontanément écrire: vos abus!). Mais vous promettez de n'être employé qu'à mi-temps. Je sais que vous travaillerez à plein temps quand même, mais c'est un pas de fait. Si vous vous aimez un peu, prenez soin de votre santé, je vous en supplie! Vous êtes un Boeing 747. Mais ces Boeing préparent leur atterrissage une heure d'avance en réduisant leur vitesse et leur altitude... Préparez votre atterrissage, si vous voulez encore rouler sur la piste à quatre-vingts ans...

L'Office de la Famille

Trois années durant, Paul-Émile a collaboré étroitement à la conversion du *Service de pastorale familiale* (dont il était directeur) en *Office de la Famille*. Il en a majoritairement écrit les statuts. «Un petit que j'ai contribué à mettre au monde», écrit-il.  Le document officiel, signé par Mgr Grégoire décrit ainsi *l'Office de la Famille*: «lieu de formation et de réflexion évangélique, soutien pour les familles, où s'élaborent les positions de la communauté catholique sur les problèmes majeurs de la société familiale.»

En juillet 1980, Paul-Émile range parmi les projets de l'année qui vient, «la nomination d'un couple marié à la direction du nouvel Office». Ce couple sera effectivement désigné en septembre, par Mgr l'archevêque. Désormais, Paul-Émile se consacrera aux Comités Famille[2], issus des Soirées d'Amour. En décembre 1981, il écrit au père Vallée:

Vous m'avez demandé pour prêcher la retraite de nos jeunes Oblats, en août 1982. À regret, je vous demande la permission de refuser. J'aurai soixante-

---

[2] Relais intermédiaires, lieux d'échanges, de partage et de solidarité, à bases paroissiales.

six ans demain et le travail presse de ce temps-ci. Je me ressens de l'âge. Je décline toutes les demandes en dehors de ma tâche: L'Office de la Famille, SOF, retraites conjugales paroissiales, consultation, animation, etc. Je suis entré dans la cohorte des *sages,* c'est-à-dire de ceux qui ont de l'usure.

Une fin à tout

En date du 26 juin 1985, Paul-Émile écrit à Mgr Jean-Paul Rivet, de l'Office de la Famille:

Sur les indications du médecin, je dois prendre une année de repos, pour ensuite mesurer prudemment mon travail. Je puis demeurer consultant auprès des couples en difficulté; aumônier du SOF tant que vous ne m'aurez pas trouvé un remplaçant. Je crois qu'il serait préférable que j'abandonne mon poste d'adjoint à l'Office de la Famille. Quant à moi, j'ai conscience que je suis né en 1915 et que mon avenir est en arrière de moi. Je reste capable de rendre d'autres services à mesure que ma santé se rapplombe. Je vous dis toute ma gratitude.

QUATRIÈME PARTIE

La Famille
S.O.F.
Les Soirées d'Amour

1972 – 1985

Service d'Orientation des Foyers

C'est par la porte du SOF que Paul-Émile est introduit à *la famille*. L'amorce se fait dès son atterrissage à la Centrale, en 1945. Au SOF il connaîtra une efficacité et un bonheur étonnants. Paul-Émile donnera pour ainsi dire les prémices de son ministère sacerdotal au SOF et lui consacrera les toutes dernières énergies de sa vie. Les responsables de la LOC mettent une année à élaborer ce projet de sessions hebdomadaires du SOF. Parmi les «inventeurs», il convient de nommer Germaine et Gervais Babin, Bernadette Saint-Onge et le père Pierre-Paul Asselin, o.m.i., aumônier d'alors. Ce ne seront pas des cours; le dynamisme interne du groupe créera le climat socio-affectif qui favorisera le partage du vécu des participants. Paul-Émile définira ainsi le SOF: «Prise en charge du couple par lui-même, le SOF est une école d'éveil à la croissance et à l'engagement.»

Une recherche (le *Voir* de la JOC) de la LOC atteste chez plusieurs couples l'incompréhension mutuelle, l'amour à la baisse, le sens chrétien émoussé, etc. Le *Juger* poussera l'*Agir* à mettre sur pied ce qui sera le service le plus fructueux de la LOC: le SOF. La toute première rencontre du SOF, en novembre 1945, à Montréal, réunit huit couples, au local de la LOC, rue Saint-Denis, coin Duluth. Les Babin sont couple animateur, et Paul-Émile prêtre-accompagnateur. C'est le lancement d'un navire qui, quarante ans après, navigue encore, toutes voiles déployées! La formule est si merveilleuse que le succès sera immédiat, et, pourrait-on dire, permanent. On comprend pourquoi Paul-Émile en sort emballé, marqué pour la vie! Le SOF créera des liens durables entre les couples désireux de prendre soin de leur amour.

Fonctionnement du SOF

Une fois huit ou neuf couples regroupés, ils s'engagent pour une session de dix rencontres hebdomadaires, animées par un couple responsable et un prêtre. Au début, il s'agissait de vingt-quatre réunions; on les avait réduites à quinze en 1951. Entre eux, les participants échangent sur le thème choisi pour chaque soirée, comme: *réinventer l'amour, s'engager à plusieurs, apprendre à fêter,* etc. La dixième et dernière réunion dure tout un dimanche, dit: *Journée d'Amour*. Cela occasionnera parfois la transformation du groupe en un comité-famille, sorte de petit office de la famille, une mine d'or pour les paroisses, où ces gens s'engageront.

SOF: enfant chéri de Paul-Émile

Paul-Émile, mêlé au tout premier groupe de SOF en 1945, s'en distancera durant quelques années, tout en gardant toujours des contacts. En 1951 il y entre à plein; en 1977 il y reviendra comme aumônier pour le diocèse de Montréal. Le SOF unifie alors ses effectifs, retrouve un second souffle et touchera un sommet de recrutement en 1981-1982, alors que fonctionneront quarante-six groupes, rejoignant trois cent quarante et un couples. Paul-Émile qui s'y connaît en formules populaires d'animation a flairé dans le SOF un moyen privilégié de croissance et il mettra presque tous ses œufs dans ce panier-là. Il a aidé le mouvement à démarrer dans d'autres diocèses: Trois-Rivières, Chicoutimi, etc. À son meilleur avec les adultes, Paul-Émile fera du SOF son enfant chéri. Il en mange, en rêve, en vit. C'est sa troisième famille.

Au dire d'un responsable, «Paul-Émile

prenait les bonnes femmes dans le fond de leur cuisine, les amenait au SOF pour leur donner la chance de s'épanouir». Lors d'une soirée sociale où les participants étaient invités à se travestir, Paul-Émile se présente comme «*l'aumônier des Classels*[1]». Le nom lui restera! Aux soirs de clôture des Journées d'Amour, Paul-Émile était transporté, au summum du bonheur. Mêlé au SOF durant quarante ans, c'est le moment, semble-t-il, de parler de *fidélité*! Le retrait de Paul-Émile laissera un vide difficile à combler. Il est vrai que tout homme se remplace, mais d'aucuns plus malaisément que d'autres!

Quarantième du SOF

Les 12 et 13 octobre 1985, convoqués de tous les horizons du Canada français, au-delà de deux cents animateurs du SOF, anciens et actuels sont accourus à Montréal, renouer de vieilles amitiés, échanger de savoureux souvenirs et se retremper dans le charisme de ce mouvement indestructible. Une grande absence se faisait sentir: celle du cher Paul-Émile que pres-

---

[1] Ensemble de cinq jeunes chanteurs québécois, populaires dans les années 1964-1968. Ils se caractérisaient par leurs chevelures blanches.

que tout ce monde connaissait. Il n'avait pu répondre à l'invitation; sur son mont Sinaï, à trois semaines du terme, il se prépare à rencontrer son Seigneur. Encore bien de cette terre cependant, et présent à ses très chers amis, il enregistre à leur intention un message que tous écoutent, au bord des larmes. Exprimée d'une voix trébuchante, la communication est pourtant claire. Paul-Émile salue les collaborateurs de la première heure, ceux d'hier et d'aujourd'hui; il en désigne plusieurs par leurs noms. Pathétique, il dit:

> Je suis un vieux de la vieille, j'ai été pétri par le SOF, ayant eu le privilège de participer au premier groupe, en 1945. Avec quelle joie j'ai été aumônier national pendant quatre ans et aumônier diocésain à Montréal durant huit ans! La Providence est venue m'arrêter. Vous avez grandi dans la tendresse. Je suis émerveillé du beau travail que vous faites. Moi, je suis en longue convalescence, avec le privilège de prier pour vous tous et peut-être de devenir capable un jour de vous aider. Je salue ceux qui continuent d'animer ce merveilleux instrument qu'est le SOF. Bonjour à tous, merci de votre amitié.

Paul-Émile fut un défricheur, puis un phare dans le SOF au Québec. De 1965 à 1985, dans le grand Montréal, le SOF a formé cinq cent cinquante groupes de base, réunissant quatre mille deux cents couples. Paul-Émile s'est mêlé à presque tous ces groupes, de quelque manière. Aujourd'hui, c'est de Vancouver à Moncton que le SOF se passe le flambeau. Au Québec seulement, 75 000 couples en auraient vécu les rencontres.

La famille en 1986

La Commission Champagne-Gilbert demande:

La société d'aujourd'hui attache-t-elle assez d'importance à la famille, effondrée, érodée par les temps modernes? Ne la croit-elle pas chose du passé? Étirée sous les tensions, contractée sous les pressions, la famille tend toujours à reprendre sa forme; elle est l'élastique qui retient les gens ensemble et empêche la société d'éclater. Services sociaux et États ne remplaceront jamais adéquatement la famille[2].

Pierre-Yves Boily écrit:

Notre société favorise l'individualisation et donne à ceux qu'elle écrase tout juste de quoi survivre. Un État qui ne respecte pas les communautés d'amour et de croissance est contraire à l'Évangile, à refaire, à rebâtir[3].

---

[2] *Commission Champagne-Gilbert,* Radio-Canada, 1986.
[3] *L'Église, famille et Société,* Éditions Anne Sigier.

La famille, d'après Vatican II:

La communauté du couple, établie sur l'alliance irrévocable des conjoints fut fondée par le Créateur. Le Christ en a fait l'image de son union avec l'Église. Ceux qui exercent une influence sur les groupes sociaux doivent s'appliquer à promouvoir le mariage et la famille. Il appartient aux prêtres dûment informés en matière familiale, de soutenir la vocation des époux dans leur vie conjugale et familiale par la prédication; de les fortifier avec bonté et patience, de les réconforter avec charité[4].

Plus disjoints que conjoints?

Le portrait de la famille n'est guère reluisant. Le drame, c'est que le phénomène est universel. Aux États-Unis, un mariage sur deux aboutit à l'échec. Pour le Québec, prenons les statistiques de 1982, citées par Paul-Émile lui-même.

En dix ans, les mariages ont chuté de 54 000 à 44 000; le pourcentage des divorces est de quarante et ils surviennent en moyenne après dix ans de vie commune. Les remariés redivorcent à 75%. Un mariage sur cinq serait invalide parce que l'un des

---

[4] *Les seize documents conciliaires,* (dignité du mariage et de la famille), page 228, N° 5. Éditions Fides, Montréal et Paris, 1966, 672 pages.

conjoints est inapte à s'engager à long terme. Dans les dix dernières années, on a dénombré près d'un demi million d'enfants canadiens issus de ménages brisés par le divorce.

La poutre maîtresse de la société est en train de céder. On est passé du mariage-institution au mariage-alliance. Autrefois indissoluble, le mariage peut devenir aujourd'hui un simple contrat, cassable à volonté. De toute évidence, la vie de couple n'est pas facile.

Paul-Émile devant la situation de la famille

Paul-Émile est convaincu que *le projet de Dieu c'est un couple,* et que bien outillé, un mariage peut réussir. Paul-Émile conclut que les couples et les familles ont, plus que par le passé, besoin d'éclairage, de formation et de soutien. Dans la revue MacLean's de mars 1982, le sociologue Schlesinger affirmait que la décennie 1980 serait celle de la famille.

Prêtre et membre de l'Église, posté en sentinelle devant la forteresse familiale assiégée, Paul-Émile se porte à sa défense pour tenter de la sauver. *Rebâtir les couples pour préserver la famille.* Parlant de l'Office de la Famille de

Montréal, il disait; «J'ai ouvert une shop pour débosser et raccommoder les mariages.» Sa clinique est bien équipée pour établir un diagnostic judicieux; mais les gens ne peuvent demeurer en observation. Paul-Émile accompagnait pour un bout de chemin, puis orientait sur d'autres pistes pertinentes. Habité par la confiance et assuré d'une abondante récolte, Paul-Émile se tourne résolument vers les couples. Quelques-uns d'entre eux ont dit: «Pour nous, Paul-Émile a été le premier prêtre à valoriser le couple et la famille. Grâce à son intervention, un grand nombre de couples sont restés unis.»

Les Soirées d'Amour

*Tout comme les **Journées d'Amour** qui clôturaient les sessions du SOF, les **Soirées d'Amour** sont une invention de Paul-Émile. Les secondes, pour offrir à un plus grand public les bienfaits des premières.*

Mise en train

Avec l'assentiment et la collaboration du curé et du conseil de pastorale d'une paroisse, s'enclenchait une grande offensive qui pouvait mobiliser plusieurs douzaines de bénévoles, pour réaliser un projet d'envergure: *Une Soirée d'Amour*. D'abord embauche de volontaires pour former les comités: a) téléphonistes; b) publicité; c) distribution de l'information à toutes les portes; d) accueil; e) prière; f) agapes; g) aspects techniques, etc. Mis dans le coup, les enfants apportent à la maison les dessins qu'ils ont esquissés à l'école illustrant *ce qu'est l'amour* pour eux. L'admission sera gratuite, il y aura service de garderie.

L'événement

La vedette est évidemment le p'tit gars de Lavaltrie, devenu prêtre-conférencier-évangélisateur. Bien heureux ceux qui mordront à l'appât! Par la magie de son verbe abondant et imagé, par sa mimique, ses yeux pétillants, ses anecdotes, ses histoires, Paul-Émile va fasciner les gens pendant deux heures. Interpellé par les conflits de l'aventure humaine, il vibre de toute sa force intérieure aux valeurs qu'il véhicule.

Paul-Émile instruit, déride, émeut, encourage et rejoint ses auditeurs dans l'essentiel de leurs préoccupations. Dans une atmosphère de prière et de chant, il sème la joie de vivre. Au début, la série comportait quatre soirées; en raison de la demande, du manque de temps et finalement de la santé de Paul-Émile, elle se réduira à trois, puis finalement à deux veillées. On remplira les sous-sols ou les nefs d'églises; il arrivera qu'au dernier moment on doive déménager de l'un à l'autre pour accommoder tous les arrivants.

Des membres de son «fan club» le suivaient partout où il allait, jamais lassés de l'entendre, tellement le contenu semblait toujours nouveau! Un soir, à l'intermède d'une conférence, une dame âgée l'accoste et lui dit: «Paul-Émile, tu ne me reconnais pas, je suis Rose-Alma Perreault, j'ai été ta première institutrice à l'école de la Côte Mousseau, à Lavaltrie, en 1922!» À la reprise, Paul-Émile la présente, toute gênée, et la fait ovationner par l'assistance. Même si sa célébrité le précédait, Paul-Émile dit un jour à un comité organisateur: «J'ai peur, votre publicité me surfait.» Présenté une fois avec un brio inusité, il débute en disant: «Après une telle introduction, je brûle du désir de m'entendre!» Le premier soir il terminait ainsi: «Merci de votre bonne attention, demain soir ce sera meilleur.»

L'amour envahissant

Le phénomène des *Soirées d'Amour* n'a guère franchi les limites de Montréal, Longueuil

et Laval. On ne mentionne que deux « sorties »
au pays de Paul-Émile: Repentigny et L'Assomption où il fit fureur en bourrant les églises. Au total, il aurait tenu ces soirées à quarante quelques endroits et seule sa santé com-
promise mit fin à ce rayonnement si extraordinaire. Un journal imprime: « À Saint-Jean de
Pointe Saint-Charles, huit cent cinquante personnes se sont fait parler d'amour. Sous le signe
de l'humour, le père Pelletier, surnommé le père
PEP a démontré qu'on ne peut vivre sans
amour. » Le sommet fut sans doute atteint à
Sainte-Béatrice de Laval, avec une assistance de
mille auditeurs.

Hors de propos de qualifier ces rassemblements de feux de paille. Soucieux de prolonger
l'effet des soirées, Paul-Émile en offrait les
moyens, par exemple en invitant les Filles de
Saint-Paul à présenter, chaque soir, un choix
parmi une soixantaine de volumes sur la psychologie familiale, la spiritualité et la bible. Paul-
Émile en faisait la promotion. À Saint-Pierre-
Claver, quatre cent quatre-vingt-cinq personnes
s'engagent par écrit à poursuivre leur perfection-
nement, dans un éventail de vingt-huit activités, allant des cours de bible à la fonction de
marguillier, en passant par les PRH et le conseil de pastorale. Les couples qui ont perdu la

fébrilité des commencements, meurtris par l'usure de la vie, apprendront, aux *Soirées d'Amour* que tel une fleur, leur amour peut se cultiver et s'épanouir.

Soirées d'Amour: leur contenu

À la suite du Christ, Paul-Émile, veilleur attentif, rappelle à ses auditeurs le sérieux de la vie, le jeu dramatique et sacré de l'existence de chacun. L'éducateur se soucie de mettre le danger en évidence, surtout s'il dirige un élève téméraire. Les alpinistes qui n'ont pas le pied montagnard peuvent être imprudents. Il importe de signaler les écueils de l'expédition puisqu'il se produit toujours des catastrophes. Paul-Émile aura à cœur de bien équiper les couples pour qu'ils réussissent leur entreprise.

Nous pourrions ici entrouvrir les rideaux de la salle, prêter une oreille, tenter de résumer son exposé, question de se faire une idée de ce qu'il livre à son auditoire. Réflexion faite, nous ne nous y aventurerons pas, par respect pour Paul-Émile. Un aperçu global, même honnête, lui rendrait-il justice, lui si chaleureux, si imagé, si convaincant, si brillant? Nous renvoyons le lecteur aux vidéocassettes, pour savoir comment Paul-Émile suggère d'*investir pour sauver l'amour* conjugal et familial. Alliant l'humour à l'amour, il transmet ce qu'il croit intensément en utilisant une méthode qui depuis toujours a révélé son efficacité: il soutient l'intérêt de l'assistance en intercalant, tout au long de ses exposés, des histoires comportant une leçon appropriée au sujet qu'il traite.

Vidéocassettes

Une délicatesse de la Providence et l'ingéniosité de quelques personnes ont permis que les fameuses *Soirées d'Amour* de Paul-Émile soient imprimées sur pellicules. Grâce à elles, Paul-Émile n'est plus limité dans le temps ni l'espace. Parti, il continue de nous transmettre sa chaleur, de nous faire vibrer, il demeure un communicateur extraordinaire. Aussi ardent que le fondateur des Oblats, il peut dire avec lui: «Plût à Dieu que je puisse faire entendre ma voix dans les quatre parties du monde.» Les deux vidéocassettes[5] en couleurs qui immortalisent Paul-Émile furent enregistrées par le Service Audio-Visuel Oblat (SAVO) du Centre Saint-Pierre, à la paroisse Saint-François de Sales de Laval, en janvier 1984.

---

[5] Distribuées par la Librairie des Éditions Paulines, (Filles de Saint-Paul), 4362, rue Saint-Denis, Montréal, Qc, H2J 2L1.

Ces vidéocassettes nous présentent un Paul-Émile en pleine forme, vivant, pétillant, vibrant. Elles ont capté ses mimiques, les traits animés de son visage, ses larges sourires. Il interpelle son auditoire, étudie ses réactions, attend ses réponses. Paul-Émile, s'excusant des projecteurs éblouissants, explique ainsi la raison de cette mise en scène: c'est un problème d'*offre* et de *demande*; alors qu'une dizaine de paroisses l'attendent et que son médecin lui prescrit une année sabbatique, on offrira ces vidéocassettes en remplacement. Auparavant, sur le réseau du Vidéotron Rive Sud, la sélection du catalogue offrait un document de Paul-Émile, antérieurement enregistré. La demande populaire le réclamera pendant près de cinq ans, à raison de quatre fois par semaine.

CINQUIÈME PARTIE

L'homme, l'Oblat, le pasteur

Comment était Paul-Émile Pelletier?

Grand, à la démarche fière, toujours bien mis, sympathique et attirant, avec un panache qui n'avait rien de hautain. Il plaisait à première vue et ne laissait personne indifférent. Il soignait quelque peu sa belle chevelure blanche, qui mettait de la douceur sur ses traits énergiques. Il savait où il allait, et sa force de caractère renversait les obstacles. Aimant le risque, il n'était pourtant jamais coincé. S'il ne pouvait se dégager par la droite, il aiguillait sur la gauche et savait s'esquiver élégamment d'une situation épineuse. Sincère et vrai, il ne se dissimulait derrière aucun masque. Avec son rire chaleureux émanait de tout son être le charme, aspect inconscient de sa fascinante personnalité. Jovial, épanoui et taquin, il irradiait la joie de vivre, visiblement heureux de faire ce qu'il aimait. Paul-Émile fut essentiellement homme d'action.

Intuitif, impulsif, c'était l'homme du large; les petites dimensions le restreignaient et il ne s'octroyait aucune occasion de broyer du noir! D'une grande simplicité, il a conservé jusqu'à la fin sa jeunesse de cœur et son sens d'émerveillement. Très humain, il trouva dur, par exemple, de cesser de fumer. Ardent partisan des *Canadiens* et surtout des *Expos,* il suivait attentivement leurs exploits. Après une soirée épuisante, il prenait connaissance des scores, se détendant en écoutant ou regardant les dernières minutes de jeu. Jamais cependant n'aurait-il sacrifié entrevues ou rencontres pour aller voir évoluer ses vedettes. Il fut un être merveilleux de douceur et de tendresse. Doué d'une mémoire phénoménale, il pouvait appeler par leur prénom des personnes rencontrées une fois. Il se souvenait des figures; quand il rencontrait un jeune dont le nom était évocatif, il demandait: «Quel est le nom de tes parents, je dois les connaître!» Il savait les prénoms de tous les enfants des couples qui gravitaient autour de lui. D'avoir emmagasiné tant de choses, il s'amusait à dire: «Je n'ai pas besoin de mémoire, je me souviens de tout.» Il semble avoir exploité ses possibilités à la limite... ou presque! Paul-Émile fut un homme d'une qualité qu'on trouve rarement; non imitable et difficilement remplaçable! Type idéal pour beaucoup de monde, les gens se miraient en lui. Sa carrière sacerdotale ne créa aucune rupture avec ses origines paysannes. Tel saint François d'Assise, il est resté fidèle au monde ordinaire, le sien. Pour le décrire, un jeune ne trouvait rien de plus juste que l'expression consacrée: «C'est l'être le plus extraordinaire que j'ai rencontré.» Un médecin mettra la dernière touche en ajoutant: «Il m'a toujours fait l'effet d'une personne exceptionnelle. »

Vas-y, t'es capable

Paul-Émile était l'encouragement même! Tout en respectant les limites de ses proches collaborateurs, il savait leur faire découvrir leurs points forts, les valoriser. «J'ai besoin de toi, t'as l'air tellement bon! Ce que tu fais est important, lâche pas!» Un couple travaille avec lui à faire démarrer un nouveau groupe SOF. Arrive la question cruciale: «Mais, Paul-Émile, as-tu des animateurs?» «Bien sûr, c'est vous autres!» Il appelle un autre ménage: «Je vous envoie un couple; je lui ai donné tout ce que j'avais, continuez, occupez-vous en!» Il avait de ces façons de dégonfler des ballounes, de dédramatiser. Gêné, un couple lui avoue: «Nous avons des problèmes. » Lui de répliquer: «Je le savais!» Et ils se mettent à rire. Il sécurisait les gens; plusieurs se reprochent un peu d'être restés agrippés à lui.

Quand Paul-Émile s'affairait à motiver quelqu'un, les témoins de la scène disaient: «Tiens, Paul-Émile qui est en train de jouer du violon!» Durant ses discours ou homélies, il pouvait repérer un couple, dans une foule, et le rattraper après. Il savait pêcher au filet, puis trier ensuite. S'annoncer dans un foyer avec Paul-Émile, c'était amener *le* personnage! Honorés, les hôtes sortaient le tapis rouge et ça se terminait ordinairement par l'engagement. Un couple qui avait d'abord dit *non,* s'estimant trop occupé, se trouva finalement embarqué, se demandant bien par quel sortilège Paul-Émile les avait eus. Tout en laissant la liberté de s'inscrire à tel ou tel mouvement ou activité, il arrivait à Paul-Émile de mettre le grappin sur quelqu'un: «On a besoin de vous autres, engagez-vous pas ailleurs.»

Le secret de son succès

L'éducation étant d'abord une transmission de ferveur, on comprend pourquoi Paul-Émile connut très peu d'échecs dans l'embauche et la formation de ses collaborateurs. Chef de cordée entraînant, il fut un modèle d'authenticité, de fidélité dans l'engagement. S'il respectait le fatigué, il stimulait l'engourdi. Lui-même bougie d'allumage, il voulait que les couples le deviennent à leur tour. Il se préoccupait des personnes dont il faisait ses aides... les nourrir, leur fournir un bon outillage: *savoir plus pour agir mieux,* dans le bonheur et l'efficacité. Passé maître dans l'art de n'être pas indispensable, il formait les autres en vue de la relève. Quelques semaines avant sa mort, il disait à un séminariste, ami depuis bien des années: «Continue, tu vas me remplacer.»

La personne avant toute chose

Bien antérieurement à ce «slogan-automobile» connu, c'était l'attitude de Paul-Émile. Pour lui, rencontrer une personne constituait un événement. Le monde commençait avec elle; elle avait de l'inédit, de l'irremplaçable. Une joie immense rayonnait alors de sa figure, il devenait intensément présent, chaleureux, émerveillé. Une fois l'introduction faite, Paul-Émile reculait d'un pas, comme pour mieux savourer son interlocuteur; il se croisait les bras, signifiant: «À nous maintenant, le plaisir de l'échange, de la découverte!» En voyage, même à l'étranger, il n'y avait guère de place dans sa vie pour les musées, les spectacles. Ce qui comptait, c'était de voir du monde, parler! Chaque rencontre avec lui enrichissait et marquait la personne, parfois pour longtemps. Chacun se sentait aimé profondément. Fasciné, il énumérait les richesses de son interlocuteur. Spontané, il pouvait dire: «T'es donc ben belle!» Que Paul-Émile soit demeuré présent et fidèle à tant de gens, c'est quelque chose d'inimaginable.

«Aimer, c'est avoir le souci de...»

Paul-Émile fut ce qu'on appelle *un homme mangé*. Toujours disponible pour accueillir et écouter, accordant la priorité aux personnes en difficulté. Pour elles, il cancellait des visites et la Providence semblait le faire surgir au bon moment. Ses amis disposaient tranquillement de lui comme de leur bien; «les gens se jetaient sur lui comme la misère sur le pauvre monde». Demandé pour une entrevue, une conférence, etc., il disait: «O.K., je note ça.» Il griffonnait alors dans les petits coins d'un agenda déjà bourré. Comment s'y démêlait-il? Accroché parfois en chemin par quelque chose d'important, il en oubliait d'autres rendez-vous.

Respectueux des personnes et attentif à leurs attentes, il se faisait accueillant, sympathique. «Le monde a plus besoin de grandes oreilles que de grandes gueules!» Poli envers ceux qui divergeaient d'opinion avec lui et trop noble pour défoncer, il cédera, plutôt que de revendiquer. Pour lui, il ne se trouvait aucune situation désespérée, nul problème ne semblait le prendre au dépourvu; une solution se faisait toujours accessible, chez lui ou ailleurs. Volontiers, il prenait conseil chez ses confrères ou d'autres compétences. Sa conscience professionnelle, animée par la charité et le respect, lui inspirait de diriger vers d'autres intervenants les personnes en difficulté. Il n'accaparait pas, ne monopolisait pas. Cette délicatesse envers autrui jouait pour lui aussi. Revenant d'une hospitalisation, il disait comment les radiologistes, spécialistes et tous les autres *istes* avaient été impeccables. Mais il ajoutait: «Il n'y a quand même que le *moppologiste*[1] qui fut assez complaisant pour me demander: «Comment ça va ce matin?»

À l'ouvrage!

Paul-Émile a déjà dit qu'il avait tout appris de ses parents. À commencer par travailler. Alors qu'il besognait, à Longueuil ou à Montréal, ses rapports annuels montrent qu'il pouvait mener cumulativement plusieurs chantiers et être efficace partout. Prodigue de son temps, ce qu'il en a abattu d'ouvrage! Pour éviter de décevoir, il ne savait ni se limiter ni refuser. En vieillissant, il mûrira ses méthodes, mais sa militance sera active jusqu'à la toute dernière

[1] Préposé à l'entretien, celui qui «passe la moppe».

semaine de sa vie. Ses supérieurs et ses proches pourront tout au plus tenter de le ralentir. «Tu n'es pas obligé de sauver le monde tout seul», lui disait-on. Mais «la moisson est si abondante», semblait-il répondre... et dans ce domaine les ouvriers si peu nombreux!

Du moins, il accomplissait son travail dans la joie. Ça n'était pas une job qu'il traînait comme un boulet. Selon lui, un visage triste offre des perspectives peu intéressantes en matière de rentabilité apostolique! Pour la gloire de Dieu, il s'est usé jusqu'à la corde. Ses vacances n'avaient presque rien d'apparenté au type conventionnel. Il n'était pas du genre à aller flâner sur une plage. Du moins ne le fit-il qu'exceptionnellement. De même hors de son existence les concerts, le théâtre, etc. Sa détente consistait à «*baroucher*»: visiter du monde à loisir, parler, stimuler. C'est ainsi qu'il a pu maintenir des liens étroits avec des centaines de familles dans tout le Québec et un peu plus loin, notamment au Nouveau-Brunswick. A-t-il manqué de loisirs? Apparemment pas. Il avait son style personnel. En communauté, après les repas, il passait rapidement à la salle pour un brin de causette, un coup d'œil furtif aux journaux, puis hop, quelque chose ou quelqu'un l'attendait...

Liseur avide

Paul-Émile sera gros consommateur d'imprimés. Curieux et toujours en alerte, il bouffe des textes en quantité industrielle, comme pour ne rien manquer. Sa démangeaison de savoir le pousse à lire, même en mangeant: duplication alimentaire! À mesure, il s'empresse de faire part de ses découvertes. Ouvert aux problèmes internationaux, il dévore livres et revues. Il feuillette aussi les journaux populaires, *pour savoir ce que le monde lit.* Bien informé en politique, il ne tente pas de dissimuler ses «couleurs». En va-et-vient incessant entre la vie et les livres, il en traîne régulièrement deux ou trois avec lui. Soucieux de faire progresser les autres au même rythme, il s'informe: «As-tu lu telle affaire? Manque pas ça!» Lui-même offrira souvent en cadeaux des livres bien choisis.

Pour se tenir informé sur la morale et la théologie pastorale, il parcourt publications et documents. Un couple du SOF l'ayant parrainé, sa dernière expérience de croissance sera le Cursillo. Il en parlera avec enthousiasme. À peine quelques mois avant sa mort, il voulait s'inscrire à une session prévue pour avril 1986: *Vie spirituelle et engagement.*

Pour le bien des couples...

Paul-Émile, qui n'était ni un scientifique ni un universitaire, possédait cependant une culture philosophique et psychologique enviable. Sa sensibilité sociale le faisait évoluer avec le monde et il avait à cœur de se spécialiser continuellement pour atteindre à une plus grande efficacité. Aucune école de pensée ne lui était inconnue et il se tenait en recyclage continuel. Instruit aussi par le counseling, il pouvait observer l'évolution des couples et s'y adapter. En 1974 — à la grande édification du professeur — il suit, parmi des débutants, une session sur la croissance en communication. L'animateur commente: «Il était bien enseignable: docile, ouvert, attentif. »

Maître complaisant

Nanti de l'indéniable charisme du leadership, Paul-Émile influençait fortement ceux qui gravitaient dans son orbite. Très agréablement d'ailleurs. Audacieux et inventif, il ouvrait des portes, mais devait compter sur d'autres pour maintenir ce qu'il inaugurait. Dynamo en continuelle productivité, il générait l'enthousiasme, la confiance. On connaît déjà ses « T'es capable». Il les dispensait à profusion, chaque ren-

114

contre avec lui valait une piqûre d'assurance. «J'ai beaucoup appris avec lui, on ne travaillait pas pour rien.» Très proche de tout son monde, il voulait le tutoiement. Un prêtre avoue: «Il m'a appris le sens de l'humour, à être humain. Je considère comme un privilège d'avoir vécu dans son intimité.»

Exigeant pour lui-même, il tendait à l'être pour les autres. Il disait parfois: «Il sera demandé beaucoup à qui a beaucoup reçu.» Il dissimulait mal sa déception quand les gens refusaient de s'engager, ou qu'ils n'essayaient pas de s'adapter à son style. Après avoir refusé une fonction, un couple se ravise et vient s'offrir. Radieux, Paul-Émile s'exclame: «Ça se peut-tu que ça vienne d'eux autres!» Paul-Émile se préoccupait de l'avenir des dirigeants nationaux qui réintégraient le marché du travail, après un stage en Action Catholique. Souvent, ils (elles) avaient quitté un emploi rémunérateur pour s'engager à la Centrale, à un salaire de famine. Par les Caisses populaires, des amis ou connaissances, il en aida plusieurs à se trouver un poste. Par la suite, il maintiendra avec eux des liens, en autant que faire se pourra. Il soulignera les anniversaires, fera de brèves visites, manifestant une joie intense à revoir les anciens.

Qu'est-ce que ça faisait de travailler avec

Paul-Émile, à l'allure d'un général, et meneur-né? Après avoir engagé des laïques, n'empiétait-il pas sur leur terrain? A-t-il éclaboussé, chemin faisant, passé par-dessus la tête de quelqu'un? Tout cela dut se produire, au long de sa vie, mais jamais volontairement. Si on n'avait pas prévu de place pour lui, il s'en faisait une; ça pouvait être la première, qu'on lui cédait d'ailleurs sans regret! Pas prétentieux, Paul-Émile se faisait facilement pardonner ses oublis ou indélicatesses. On le savait tellement épris de la JOC, du SOF, de l'Église et de la Famille!

Profil d'analyse de caractère

Durant les quinze dernières années de sa vie, Paul-Émile a utilisé un instrument privilégié de travail: un *test de croissance et de développement personnel et conjugal,* Taylor-Johnson, du nom des deux auteurs, psychologues de l'Université de Berkeley, Californie. Ce test offre une méthode rapide et pratique pour déterminer un nombre important de traits de personnalité en vue de l'adaptation sociale et conjugale. Paul-Émile en fera passer des milliers, allant jusqu'au bout dans chaque cas. Il présidera, à l'Université Saint-Paul d'Ottawa, un séminaire sur le sujet.

Les éminents professeurs Taylor et Johnson tenaient chaque été une session intensive de trois semaines, au Collège Iona, de Windsor, Ontario. Paul-Émile y prit part à quelques reprises et incita plusieurs de ses confrères à faire de même. La participation à ces cours conférait le droit de traduire et d'utiliser le questionnaire. Cet outil place les couples devant une réalité dessinée par eux-mêmes. Les réponses données aux cent quatre-vingts questions font ressortir les éléments de personnalité, comme: dominance, nervosité, sociabilité, communication, sympathie, etc. Le test révèle comment une personne se voit et est perçue par son conjoint. Après compilation, il reste à présenter aux «clients» le bilan final, qui peut réserver bien des surprises, voire des constats bouleversants. D'aucuns mettent passablement de temps à se réconcilier avec un verdict choquant.

Paul-Émile excellait dans la façon de présenter le résultat de l'opération et d'amorcer la suite. La méconnaissance mutuelle pouvant être à l'origine de conflits, «Spotlight sur les qualités», disait-il! Ce test étant un instrument de démarrage, Paul-Émile en dépassera la portée, guidé par son expérience, son intuition et son imagination. Il épatera un grand nombre de couples par certaines révélations de leur comportement. Passé maître dans l'art d'interpréter les données, Paul-Émile amorce la suite en indiquant des manières d'améliorer certaines attitudes importantes. Puis il offrira un éventail d'une dizaine de moyens de croissance: cours, sessions, etc.

Homme des foules

Parmi les religieux qui ont «quitté père, mère, frères... à cause du nom du Seigneur» (Mt 19, 29), bien peu furent entourés d'autant de monde que Paul-Émile. Il s'est tout de suite prévalu du centuple promis! Avait-il le trac devant un public? Rien n'y paraissait. Au temps de l'Action Catholique, il s'est adressé à des foules; au Marché Atwater ou au Plateau de Montréal, au Cap-de-la-Madeleine, à Québec et à l'étranger. À certaines fins de congrès, il prononça des discours enflammés. Lors de ses *Soirées d'Amour* ses auditoires compteront jusqu'à mille personnes; ce fut le cas à Sainte-Béatrice de Laval. Il lui suffisait d'embaucher quarante personnes pour qu'elles lui en amènent six cents. Il est l'un des rares à avoir réussi cela. Il prenait à la lettre et pour son compte l'exhortation de saint Luc, au chapitre 14 de son Évangile: «Forcez-les à entrer, afin que ma maison soit remplie. » Les connaisseurs s'accordent à dire que tenir un auditoire éveillé et attentif pendant deux heures est un exploit. Les foules stimulaient Paul-Émile. Comme Cardijn, il savait parler aux jeunes, au monde. Communicateur-vulgarisateur exceptionnel, sa parole avait la sincérité de ce qui vient du cœur. Il pouvait faire rire ou pleurer, mais à coup sûr, réfléchir.

Chez ce tribun irrésistible, à la voix virile et chaude, toute la personne parlait: regard, mimique, gestes. Avec les anecdotes dont il émaillait son discours, souvent tirées de sa vie familiale, il savait toucher, instruire. Il toisait son auditoire, caricaturait le côté cocasse d'une situation. Ce qu'il disait avait tant de saveur, qu'on l'a déjà présenté comme «Notre Yvon Deschamps en soutane!» Les gens étaient toujours avides d'entendre ce conférencier qui avait du coffre, le verbe facile et abondant, qui les rejoignait au plus profond de leurs attentes.

Écrivain — Éditeur

Ce titre est à peine exagéré, quand on parle de Paul-Émile griffonneur ou rédacteur. Durant toutes ses années à l'Action Catholique, il a largement collaboré aux revues ou bulletins. Il fut aussi responsable des publications spécialisées, diffusées par les *Éditions Ouvrières,* d'abord importées d'Europe, puis éditées ici. Il a collaboré à la rédaction de *Prêtre aujourd'hui,* puis de *Prêtres et Laïcs.* Paul-Émile en sera directeur-rédacteur pendant plusieurs années, signant des articles chaque mois. Paul-Émile écrira dans les journaux, bulletins diocésains, etc.

Pendant que d'autres se préoccupaient de financer les périodiques, lui se concentrait sur le contenu, toujours soucieux de bien alimenter pour mieux soutenir chefs et militants! Les pages de *L'Apostolat*[2] lui furent toujours accessibles; il titrait son dernier article, paru en janvier 1984: «La fleur de l'amour conjugal, c'est la capacité d'aveu et de pardon.» Pour Paul-Émile, l'écrit est plus qu'un outil de suppléance pour rejoindre ceux que n'atteint pas son discours; c'est le prolongement de sa parole, devenue visuelle, tangible, ancrée. D'ailleurs, en lisant Paul-Émile on le voit, on l'entend. Il n'a qu'un style: direct, clair, chaleureux, vivant.

---

[2] *Apostolat,* périodique publié par les Oblats de l'est du Canada, à Richelieu, Qc.

En toute amitié

Ce que Paul-Émile a pu griffonner, tout au long de sa vie, est tout simplement incroyable. «Cré grand cachottier, lui écrivait une de ses sœurs, si je faisais comme toi, tu ne saurais pas grand chose de moi!» Pourtant, ses amis attestent qu'il n'oubliait aucun anniversaire, remémoré journellement par son carnet bondé de noms, d'adresses et dc dates! Il a généreusement dispensé le ministère épistolaire. Dans chacune de ses missives, il était aussi dynamique et stimulant que dans ses autres contacts.

Jeune Oblat, il n'est coupé ni de sa parenté ni de son ancien collège. Parfois, alors que toute la maisonnée est au repos, sa mère lui écrit longuement, rédigeant un véritable journal de famille. Ses frères cadets qui l'ont remplacé à L'Assomption le bourrent des potins et nouvelles qui l'intéressent: cours, professeurs, maîtres de salles, travaux, etc. À lire les lettres que Paul-Émile a reçues on déduit facilement qu'il jouait le rôle de confident, conseiller et modèle. Il encourage ses sœurs jécistes. Celles-ci, devenues grandes filles instruites et distinguées, lui envoient des lettres pleines d'idéal, de poésie: «Tu me fais du bien chaque fois que tu m'écris; tes paroles sont des miettes d'or pour nous; tu nous donnes la nostalgie des cimes...» Dans toutes ces épîtres chaleureuses, impossible de trouver une faute!

Des lettres! Paul-Émile en a écrit des milliers, acheminées aux quatre coins du monde, mais surtout dans son entourage, d'un rayonnement assez étendu. Les archives en ont préservé quelques-unes, qui nous ont permis de l'accompagner au long de son parcours. Le gros lot est réparti entre parents et amis, qui conservent ces lettres, souvenirs personnels et impérissables. Paul-Émile écrivait comme il parlait, gesticulait et marchait; à grandes enjambées, parfois quatre mots à la ligne, dans son style dégagé, aéré, harmonieux. Les mots coulaient de source, limpides, sans rature, d'une lecture aisée. Il parsemait sa correspondance de souvenirs et incidents, ce qui faisait très intime. Pour les siens, Paul-Émile trempait sa plume dans son cœur; comme saint Paul, il avait pour chacun une parole d'apôtre et d'ami. Ses lettres écrites en 1985 constituent son testament spirituel; les pages suivantes en offriront un aperçu.

Celui qu'on attend...

Si jamais homme expérimenta à fond l'amitié, c'est bien Paul-Émile! Il fit tellement d'heureux et en fut si bien payé de retour. C'est tout une oeuvre de première qualité. Et je vous en remercie.

Déjà je songe à vendre la même idée aux Rédemptoristes de St Alphonse d'Youville, aux Pts Croix de l'Oratoire, aux Montfortains de Marie Reine des Coeurs. Il faudrait des centres comme cela dispersés à travers le diocèse pour soutenir les agents de pastorale (prêtres, religieux) de moins en moins nombreux et multiplier d'autres sortes d'agents pastoraux chez les couples, les laïcs.

Je me confie à votre prière paternelle.

Paul-Émile Pelletier o.m.i.

Réduit au tiers, voici un spécimen de l'écriture de Paul-Émile.

simplement, facilement, qu'on devenait ami avec lui. À une toute première rencontre, on croyait l'avoir toujours connu. Paul-Émile est parvenu à une maturité affective que peu de personnes atteignent. Ses amitiés furent vraies, profondes, loyales, saines et durables. Quand vient le temps de décrire Paul-Émile, ses intimes sont à court de mots: «C'était un frère, un «chum», un père...» Son amour s'exprimait dans le concret de la vie par des attentions simples, constantes, signifiantes. «C'est extraordinaire qu'il ait traversé notre vie... des amis comme lui, nous n'en avons jamais eu d'autres!» Paul-Émile n'était pas celui qu'on invitait, mais celui qu'on attendait!

L'ami universel

Paul-Émile avait des amis partout. Quand il arrivait dans un centre — comme Shawinigan — se déclenchaient en chaîne les téléphones et les visites. Hospitalisé une fois en province, il disait: «Quelle bénédiction que la maladie, tout ce monde que j'ai vu!» Par un matin de grand froid où sa voiture ne voulut jamais démarrer, il dit: «Je vais en profiter pour faire ma visite de paroisse.» Le jour de l'an passait toujours trop vite, il avait tant de monde à aller bénir! Il importait pour lui de visiter les gens chez eux, savoir où ils demeuraient, connaître la marmaille et l'environnement. S'ils avaient le goût de jaser jusqu'à deux heures du matin, c'était d'accord avec lui. Pas possessif de ses amis, il les partageait volontiers avec d'autres. Au téléphone, il était chaleureux: «Oublie pas de l'embrasser... L'as-tu eu, ton petit? Comment vas-tu l'appeler? J'irai le baptiser.»

Ses Béthanie

Jésus avait des intimes, comme Marthe, Lazare et Marie de Béthanie, chez qui il vivait des moments de détente et d'intense amitié. Paul-Émile aussi eut les siens, et en plusieurs exemplaires. Quelques-uns lui avaient dit où était cachée la clef de la porte, qu'il pouvait franchir en l'absence des châtelains et se comporter comme chez lui. En 1980, il avait écrit à un jeune: «La première loi de l'amitié, c'est la fidélité.» Par un beau soir d'été, en chaloupe sur un lac, il chante de sa voix sonore le *Credo du paysan,* au grand contentement des riverains. «J'aime ça chez vous, j'ai pas besoin d'être fin», disait-il, pour montrer qu'il se détendait complètement. Ayant un soir couché chez des amis, on l'éveilla le lendemain matin sur la mélodie du *Berger solitaire,* jouée sur la flûte de

Pan. Une délicatesse pour l'ancien flûtiste du collège de L'Assomption. Il a dit à plusieurs qu'ils étaient ses préférés. Apprenant cela, un ancien jociste rétorque: «Il en aimait bien d'autres, peut-être, mais pas plus que moi!» Les amis de Paul-Émile lui faisaient part des grandes émotions qu'ils vivaient; il accourait alors pour partager joies ou peines. Sa photo occupe une place d'honneur dans combien de foyers! Sur la fin de sa vie il avouait: «J'ai été heureux, j'ai de si bons amis...»

«Ce sont mes petits enfants»

Choisir de n'avoir pas d'enfants à soi, c'est parfois adopter tous ceux des autres. Prêtre depuis quarante-cinq ans, Paul-Émile exerça son ministère sur trois générations. Il a marié ceux qu'il avait baptisés, puis encore baptisé leurs enfants. Fier de sa réussite, il les présentait à des confrères Oblats: «Voyez comme ils sont beaux et fins, ce sont mes enfants!» Il les accompagne aux étapes importantes de leur vie; il veut tellement qu'ils grandissent et soient heureux. D'être père si attentionné, à tomber dans le paternalisme, il n'y a qu'un pas, que Paul-Émile franchira parfois. Par son dévouement, sa sollicitude pour *les siens* il ne pourra s'empêcher de les guider de ses conseils: «Vous êtes mes vrais enfants, vous n'avez pas le droit de vous tromper!» Cette attitude de paternité chez Paul-Émile fut largement récompensée. Parmi ceux qu'il eut la joie de baptiser, plusieurs portent le beau nom de Paul-Émile. Rassure-toi, Paul-Émile, ta paternité subsiste, tes couples, tes enfants font honneur à leur père!

Fils du Bienheureux Eugène de Mazenod

Charles-Joseph-Eugène de Mazenod[3] et Paul-Émile eurent bien des choses en commun et ils se seraient fort bien entendus. Aux gens simples ils ont parlé le même langage; hommes d'Église, ils brûlaient tous deux d'un zèle infatigable. Au temps de la vie active de Paul-Émile, les Oblats avaient une cote enviable parmi les Congrégations dites populaires, notamment à cause de leur présence dans les paroisses ouvrières, les retraites paroissiales et les missions à l'étranger. La Congrégation a auréolé de son prestige le p'tit gars de Lavaltrie. À son tour, Paul-Émile donnera du lustre aux Oblats, par sa bienfaisante notoriété.

---

[3] Charles-Joseph-Eugène de Mazenod (1782-1861), évêque de Marseille en 1837. Il avait fondé la Congrégation des Oblats en 1816. Il sera le «serviteur et le prêtre des pauvres». Il fut béatifié par Paul VI, le 19 octobre 1975.

Fier de sa parenté naturelle, Paul-Émile le sera aussi de sa famille religieuse et il les chérira toutes deux, en leur vouant un amour et une loyauté inviolables. Fidèle aux réunions de communauté, il y apportait sa participation et son intérêt. Toujours déférent envers toute autorité, il confiera à un visiteur canonique: «Même si j'ai peu à vous dire, je tiens à vous rencontrer; la grâce passe par l'autorité.» Dans les paroisses «oblates» il sera *un phare* en matière de pastorale ouvrière et familiale. Membre du comité de démarrage du Centre Saint-Pierre, à Montréal, il aidera à la planification et référera beaucoup de monde à ses services. On se rappelle sa participation au Chapitre de 1966 et sa collaboration aux œuvres de la Congrégation dans les années 1965-1972. Parmi ses confrères, il a dépisté plusieurs bons aumôniers d'Action Catholique et savait les encourager en toute occasion.

Oblat simple et chaleureux

Les relations de Paul-Émile, au rouage toujours bien huilé, en firent un confrère jovial, délicat, attachant. Sa maison fut plus qu'un gîte ou un pied-à-terre. C'était sa famille. Discret sur ses propres activités, il était un admirateur

Montréal, 1977.

*Serge, Paul-Émile, Dominique, Martine, bébé Philippe.
Lavaltrie, 15 avril 1979.*

Angoissé? 1983.

Ami des couples.

Soirées d'Amour, 1984.

inconditionnel de ses frères, dans quelque ministère qu'ils soient engagés. Pour eux aussi il se faisait encourageant: «Ben oui, vas-y donc, ça va marcher!» À table il était vivant, animé, commentant les événemens. Durant ses derniers mois à la maison Saint-Pierre-Apôtre, il lisait les *Chroniques* des débuts de cette résidence et en narrait les épisodes avec humour. Préoccupé de la survie de sa communauté, il dirigea quelques aspirants vers le postulat de Rougemont, ce qui lui valut de bonnes lettres d'appréciation, notamment du père Sanschagrin, provincial du temps.

Personne ne se fût scandalisé que Paul-Émile adopte un style de vie quelque peu bourgeois, vu son statut professionnel, ses relations, sa personnalité. Il s'en tint pourtant au régime simple de la plupart de ses confrères, fidèle en cela à ses origines familiales et religieuses, par délicatesse aussi pour la majorité modeste de sa «clientèle». Chaque année il refusait des voyages dans le sud «toutes dépenses payées». Fidèle à demander les permissions de quelque importance, il l'était aussi à remettre ses argents à la caisse commune. Par un heureux retour de sa droiture, supérieurs et confrères lui accorderont volontiers la liberté de mouvement requise par son action individuelle.

Paul-Émile prêtre

Selon Paul-Émile, « *le prêtre est quelqu'un que Dieu a choisi pour rendre les autres heureux* ». Plus que l'homme de pouvoir, c'est le *dispensateur de l'amour*. Tous savaient que Paul-Émile travaillait au nom de Dieu. Il avait unifié cette composante prêtre-thérapeute. Cela donnait à son intervention une dimension pastorale, au niveau de ses convictions, en lien avec l'Évangile. Son sacerdoce marquait tout ce qu'il faisait. Il était d'une intégrité inattaquable, sans déviations ni légèretés. Quelqu'un disait, fort à propos: « Consacré, tu portes ta vie à bout de bras; il est défendu de la déposer, même quand les bras n'en peuvent plus! » Paul-Émile vivait son célibat consacré, en le protégeant. Dans des circonstances difficiles, trouver Paul-Émile, c'était un peu comme rencontrer le bon Dieu. Un curé confie: « Si je n'avais rencontré Paul-Émile, serais-je encore prêtre? » Un autre ajoute: « Il m'a confirmé dans mon sacerdoce, et tellement influencé que toute ma pastorale est maintenant orientée vers la famille. »

Prêtre célébrant

Dans son existence de prêtre, pour Paul-Émile, la messe était essentielle. Quotidiennement fidèle, il s'en nourrissait et la faisait vivre aux autres. Par exemple, avant une célébration communautaire, il invitait les couples à se pardonner mutuellement. Même lors d'une messe privée, sa simple proclamation de l'Évangile était exaltante. Lors des *Journées d'Amour,* ou clôture des dix rencontres d'un groupe SOF, Paul-Émile faisait une célébration toute spéciale, qui impressionnait profondément. Il s'agissait de la *réunion des vendeurs de l'amour,* présidée par le gérant, (prêtre). Les représentants ont trimé toute la semaine et font ensemble leur évaluation. Ça n'a pas bien été, j'ai manqué de confiance en Dieu, raté de belles chances: *Je confesse à Dieu.* Nous avons un bon produit. Je veux me relancer, encouragé, sûr de réussir: *Gloire à Dieu!* Le gérant lit un message du président général, qui nous remonte, nous suit de près: *l'Évangile.* Le gérant commente, explique la lettre: *l'homélie.* Tous encouragés, les vendeurs savent qu'ils vont réussir: *Je crois en Dieu!* etc. Renforcés et stimulés, les vendeurs d'amour repartent en mission, délégués par le gérant: *Allez!*

Un Oblat, partenaire de Paul-Émile dans la pastorale familiale, fait ce délicieux rapprochement entre le Christ et Paul-Émile:

Le Christ nous a donné un message d'amour; Paul-

Émile l'a détaillé. Le Christ a donné sa vie par amour; Paul-Émile a passé sa vie à donner l'amour. Jésus a fait son premier miracle en faveur d'un couple; Paul-Émile a fait des miracles pour ressouder des couples. Jésus a choisi et formé douze apôtres; Paul-Émile s'est entouré de milliers de couples. Jésus a été la source de la religion d'amour; Paul-Émile l'a enseignée à la source du monde: la famille. Jésus a vécu sa cène; avec émotion, Paul-Émile a fait vivre la messe aux familles.

À la suite de quoi nous vient spontanément à l'esprit cette parole d'Évangile: «En vérité, je vous le déclare, celui qui croit en moi accomplira les mêmes œuvres que moi. Il en accomplira même de plus grandes, puisque je m'en vais vers le Père et que je ferai tout ce que vous demanderez en mon nom, afin que le Père soit glorifié dans le Fils» (Jn 14, 12).

Délégué du Verbe

Héraut de Dieu, Paul-Émile a proclamé la parole de vérité avec dignité et amour. La force de son verbe lui venait de sa foi et son témoignage de vie était tout aussi éloquent que ses paroles: vivant ce qu'il prêchait, il n'était pas comme l'horloge qui indique une heure et en sonne une autre. Témoin crédible, ses paroles valaient une prime d'assurance. Il répandait la confiance comme une lampe la lumière. Il était faiseur de calme, de certitude, de paix. « Il accrochait l'Évangile à l'année courante, le faisait rentrer dans nos vies. » Fait cocasse, Paul-Émile ne figurait pas sur les listes des Oblats prédicateurs; peut-être parce que sa formule originale s'ajustait mal sous le chapeau d'une « retraite »… N'importe, bien d'autres auraient pu lui envier les foules qu'il attirait et évangélisait à sa façon.

Drôle de curé!

Sa paroisse, c'était tout le Québec. Son « épouse »: L'Église-famille. Pas blasé pour dix cents, même après toutes ces années! Il passe le message avec humour. Dans un temps d'insécurité économique et familiale, il dévoile le visage de l'Amour. De sa voix infatigable il jette une semence d'éternité et prépare une moisson sans ivraie. Un jour qu'il est présenté comme curé, il s'en défend, se déclarant *incurable*! Sa profession se veut un service, pour aider les autres à réussir leur vie, et du même coup justifier sa propre existence. Paul-Émile est arrivé, semble-t-il, avec un outillage disponible nulle part ailleurs. On s'étonnait de sa connaissance des problèmes du mariage, lui célibataire…

« Comment ça se fait? » lui demandait-on. « J'écoute aux portes », ripostait-il. Si on le confrontait à un dilemme ou à une inquiétude, la limpidité de ses réponses redonnait le calme et la confiance.

Quand Paul-Émile réussissait quelque chose, et c'était quotidiennement, il aimait en faire part à son entourage. Avec un regard empreint d'une satisfaction intense et des lèvres jouisseuses, il avait cette façon à lui de larguer un « formidable », pour apprécier le travail de la grâce dans un cœur. Par la force des choses, les prédicateurs itinérants peuvent devenir des diffuseurs de lumière sèche, puisqu'ils doivent repartir sans attendre la récolte. Quant à Paul-Émile, qui avait l'avantage de donner une suite à ses « sermons » ou conférences, il tenait à contacter un échantillonnage de son auditoire (soit dans le SOF, les Comités-Familles ou autres); il faisait des prélèvements immédiatement après, vérifiant sur place si le message était véhiculé. « Penses-tu que je l'avais? Le monde *avait-tu* l'air de comprendre? » Pour éviter que les couples bénéficiaires de services demeurent au stade de *consommateurs,* il les incitait à passer à l'engagement.

Joyeux témoin de Dieu

À l'un de ses correspondants, Paul-Émile écrit: «Le but de ma vie, c'est qu'à travers moi, les gens reconnaissent le Christ.» C'est assez bien décrire le visage qu'il présentait. D'une spiritualité épanouie, moderne et rayonnante, Paul-Émile passait en faisant le bien, joyeusement. Il révélait le Père dans chacune de ses rencontres. «Maniaque de la paix, il avait une sainte horreur de la chicane et savait demander pardon. La veille de Noël, immanquablement, il allait se réconcilier avec les personnes qu'il croyait avoir offensées.» Les grandes lignes de sa vie étaient droites et lumineuses comme des rayons de soleil. Une amie le décrit ainsi: «C'est la personne qui dans toute ma vie m'a le plus donné l'image de Dieu. Pour moi, il était un *sacrement*.» Un autre l'a comparé à un arbre: beau, grand, fort, bien enraciné dans le jardin de Dieu.

Paul-Émile prophète

Il ne saurait être question ici du *devin* à qui l'opinion populaire prête le pouvoir de prédire l'avenir. Bien que là-dessus Paul-Émile se qualifie haut la main! Vingt-cinq ans à l'avance, il avait annoncé que les deux jeunes abbés Alexander et Emmett Carter deviendraient probablement évêques: ce qui s'est réalisé. Tout autre est la mission de Paul-Émile; elle correspond à la définition du prophète: Quelqu'un d'incarné dans une période donnée, interprète des événements du temps, éveilleur de conscience, prédicateur plutôt que «prédicteur», qui dénonce l'injustice ou apporte un message d'espérance. Alors que la famille est en voie de désintégration, Paul-Émile est venu, comme Jean-Baptiste, clamer aux sophistes modernes: «Il ne vous est pas permis de casser ce que Dieu a uni.» Il a détaillé aux couples les dangers qui les menacent. Il leur a indiqué les moyens humains accessibles pour sauver leur union, avec l'assistance de Dieu. Nul ne peut vivre sans amour, sans famille. Un mariage se réussit dans le dialogue, le respect, la fidélité. Lui-même signe et témoin de l'amour, Paul-Émile a correspondu courageusement à sa mission. Il a dérangé, interpellé. Les prophètes ont tous été immolés à leur cause. Paul-Émile s'usera jusqu'à la corde, pour la famille.

Sa prière

À voir ce prêtre au rayonnement apostolique si intense et si fécond, d'aucuns pensent sans doute: quel grand priant il devait être! Ses compagnons et compagnes de vie l'attestent, il priait. Peut-être pas à la façon traditionnelle, où l'assiduité à la chapelle, avec les autres et aux moments prescrits, étaient des prérequis à la prière. Il y eut plusieurs écoles de pensée sur le sujet; Paul-Émile les connut toutes. Dom Chautard enseigne qu'une vie intérieure fervente est à la base de tout rendement apostolique. Le chanoine Glorieux, pour sa part, s'inspirant de la JOC, verra une prière découlant du vécu et des événements. Le père Voillaume, lui, parle des contemplatifs dans l'action. Auparavant, sainte Thérèse d'Avila disait qu'on pouvait quitter la prière pour aller secourir autrui; d'où sa formule: laisser Dieu pour Dieu. D'accord avec tous ces principes, Paul-Émile a laissé retomber la poussière et, comme saint Paul, il a unifié dans le Christ cette composante prière-action. Conscient de l'ampleur de sa vocation, il se branchera sur Dieu. Il sera contemplatif dans l'action et actif dans la contemplation, l'apanage, dit-on, des apôtres de l'an 2000! Chez lui, cette spiritualité de l'action trouvera son fondement et sa source dans une vie intérieure constamment alimentée.

Paul-Émile n'aura pas deux spiritualités: l'une pour la maison et l'autre pour l'extérieur.

Mis à part pour une mission spéciale, il aura ses méthodes à lui de prier. Il ne se retranchera pas dans la prière pour se soustraire du service au prochain. Maître du discernement et de l'action, son amour se traduit par l'engagement au service des autres. Un prêtre dit: «Il était parvenu au mysticisme de l'action.» Il avait Dieu à fleur de cœur. Devant un événement fortuit, il s'arrêtait et disait: «On va prier ça.» Pour lui, Dieu fut toujours entouré de mystère. Il ne tomba jamais dans la déviation de ceux qui le considèrent comme un ami riche et débonnaire, à leur service. Il garde sa foi spontanée, contagieuse et confiante. Ses célébrations: mariages, baptêmes ou autres étaient toujours signifiantes et «ressourçantes». Fidèle à la messe et au bréviaire, il partageait avec ses compagnons de route son chapelet et les autres prières.

Les laïques dans l'Église

En 1968, Paul-Émile écrivait: «Les laïques ont une responsabilité majeure dans la construction du monde d'aujourd'hui. Leur christianisme leur fait un devoir d'être aux avant-postes du développement économique, social, culturel, selon leurs fonctions et leurs charismes.» Depuis quelques décades, l'Église de chez nous a dû s'adapter à la montée du laïcat qui réclamait sa place au soleil, ce que Paul-Émile vit toujours d'un œil complice. Vatican II avait réhabilité une à une ses intuitions sur la question. Au temps où Paul-Émile entrait en scène, ne glorifiait-on pas le sacerdoce, au détriment du mariage? Il se faisait une grosse cabale pour peupler séminaires et couvents. Paul-Émile connut cet embrigadement. Le mot *vocation* impliquait exclusivement l'orientation vers le célibat consacré.

L'erreur, c'était peut-être de comparer les états de vie, pour établir un degré de perfection. Écoutons là-dessus le père Fernand Jetté, supérieur général des Oblats: «L'élément le plus fondamental, c'est la charité qui m'anime. Ce qui compte, c'est l'amour qui me conduit, face à la vocation que j'ai reçue de Dieu. Chacun vaut ce que vaut son cœur et la profondeur des réponses qu'il fait à Dieu[4].» D'autres pourront recruter pour les ordres. Paul-Émile, lui, sans renier ni mépriser le passé, embauchera des laïques, profondément convaincu de leur éminente vocation.

Chuck Gallagher, jésuite réputé, instaurateur en Amérique des mouvements *Encounter*

---

[4] Rome, septembre 1985, à l'occasion du Congrès international des Oblats Frères.

écrivait: « Un évêque disait un jour que durant les vingt dernières années, l'Église n'a été sauvée ni par les évêques ni par les prêtres, mais par le peuple. » On a tout lieu de croire que c'était aussi la conviction de Paul-Émile et l'actualité lui donne raison. Du fait de la diminution notable des prêtres, les laïques doivent percevoir une invitation pressante à s'engager activement dans l'Église.

L'Église, c'est vous!

Il a dû tressaillir, ce cher Paul-Émile, le soir du 11 septembre 1984, lorsque le pape Jean-Paul II, dans l'atmosphère survoltée du stade olympique de Montréal, s'est adressé à la multitude de jeunes qui ne cessaient de l'applaudir. Parlant de l'Église, le pape leur a dit: « Vous êtes appelés à assumer la mission d'annoncer la vérité et de répandre l'amour. Prenez votre part à la vie de ce corps, tout imparfait qu'il reste. Apportez votre exigence et votre enthousiasme, dans un désir d'engagement. » Laissant ses feuilles, le pape improvise: « Voilà l'Église, une sainte, catholique, apostolique. Votre Église. *L'Église, c'est vous!* » Le stade eût-il été couvert, la calotte lui en aurait sauté, soulevée par les applaudissements! Si jamais prêtre crut à l'éminente vocation des laïques, c'est bien Paul-Émile.

Des confrères s'étonnent

Paul-Émile, formé et formateur en Action Catholique, élève des Sciences sociales à Laval, adepte du Voir, Juger, Agir, changera son optique sur l'acuité de certaines situations où se débattent pourtant plusieurs des couples avec lesquels il travaille. Au cours de ses dernières années, son sens critique semblait s'être émoussé, il ne faisait plus la même lecture des incidences sociologiques qui colorent l'équilibre d'un foyer; si par exemple le mari devient chômeur... Paul-Émile s'interroge même sur l'opportunité pour quelques-uns de ses confrères de prendre position en faveur des syndicats dans certains conflits ouvriers.

Consultés sur l'interprétation à donner à ce dilemme, des amis de Paul-Émile, anciennes et anciens jocistes émettent les opinions suivantes. Préoccupé d'abord par la relation amoureuse-harmonieuse du couple, Paul-Émile aurait mis en veilleuse l'aspect social des difficultés. Se sentant incapable de tout faire, il aurait préféré laisser à d'autres, mieux formés pour cela, la lutte pour changer le milieu de vie, rendant ainsi complémentaires leur rôle et le sien. Voyant dans le «raccommodage» des ménages une urgence, il adopte un autre mode d'intervention, s'estimant plus efficace en pansant les blessures à bord de l'ambulance et à la clinique, tandis que d'autres s'affairent sur le chantier.

Ses souffrances

Même si Paul-Émile se faisait très discret sur ses épreuves personnelles, on sait qu'il en connut. Permises par Dieu et portées dans la foi, elles peuvent concourir à la sanctification, et à la fécondité apostolique. Ayant du mal à verbaliser ses angoisses, il avouera lui-même que sa grosse crise cardiaque de 1964 s'expliquait par l'accumulation des problèmes. S'il avait été plus jeune, il aurait souhaité se perfectionner en psychologie. Il déplora que trop peu de ses confrères Oblats s'engagent dans la pastorale familiale, parce que cette spécialisation les apeurait; il n'était peut-être pas franc-tireur pour le plaisir de la chose.

Paul-Émile regrettait que plusieurs prêtres se croient incapables d'écouter les couples; il leur disait: «Pas besoin d'être spécialistes, votre expérience humaine et sacerdotale vous habilite;

vous avez ce qu'il faut, allez-y! » Il se plaignait de la rigidité de certains autres, «qui ont la tête plus forte que le cœur.» Paul-Émile considérait comme négligeable d'avoir été évincé ici ou là, de voir disparaître l'une ou l'autre de ses œuvres, en comparaison des angoisses qu'il partageait avec les couples en difficulté. Il était profondément affligé lorsque après avoir mis sa sollicitude à accompagner un couple, la démarche se soldait par un échec. «Les mêmes souffrances unissent plus que les mêmes joies», disait Lamartine.

Une épine à son cœur de pasteur

Nous toucherons ici un point sensible dans la vie du prêtre que fut Paul-Émile. Au terme d'un long cheminement et d'après son expérience pastorale, ce qui importait pour lui, c'était *que les couples vivent*! Proche du monde, il croyait que la personne doit primer sur la loi. Écartelé entre le principe et la situation, il se laissait entraîner par la compassion; souvent Paul-Émile se trouva en position inconfortable dans son ministère. Comment concilier son amour et sa loyauté envers le pape et l'Église avec certaines directives qui dans l'immédiateté des cas s'ajustaient en porte-à-faux? L'encyclique

Humanae Vitae le fit se crisper: «On vit l'hiver de l'Église, gémit-il. On ne semble donc pas comprendre que le principal c'est la famille!» Plus pasteur que légaliste, il ne critiquait pas Rome, mais savait rassurer, aider les gens à discerner[5]. Parfois, l'intervenant est mieux placé que le législateur pour juger une situation particulière.

Plutôt que de prôner la soumission aveugle à une loi, en cas de doute, Paul-Émile renvoyait la décision au for intérieur, fidèle en cela à la déclaration de l'épiscopat canadien, qui affirme que le dernier jugement pratique revient à la conscience morale:

> Des conseillers peuvent rencontrer d'autres personnes qui, tout en acceptant l'enseignement du Saint-Père, estiment, par suite de circonstances particulières, qu'ils se trouvent en présence de ce qui leur semble être un conflit de devoirs, par exemple, accorder les impératifs de l'amour conjugal avec ceux de la paternité responsable, de l'éducation des

---

[5] Des évêques, des prêtres, des militants qui croient au même Christ et avec un égal amour adoptent parfois des façons de voir, des lignes de conduite différentes et gardent tout leur sens critique. C'est souvent une façon d'y voir plus clair dans les sujets controversés et de faire avancer les choses. Pourvu qu'on soit animé de la passion du Règne de Dieu, du désir de rester attaché à la valeur suprême du Royaume: «Aimer les autres comme Dieu m'a aimé.» Pierre THIVOLLIER, *Faites le passage,* Éditions Cheminements, Paris, 272 pages.

enfants déjà nés ou encore de la santé de la mère. Selon les principes reconnus de la théologie morale, dans la mesure où ces personnes auraient fait un effort sincère pour se conformer aux directives données, sans toutefois y parvenir, elles peuvent avoir la certitude qu'elles ne sont pas coupées de l'amour de Dieu, dès lors qu'elles choisissent honnêtement la voie qui leur semble la meilleure[6].

Au sujet des personnes divorcées, Paul-Émile disait: «Pour elles, cette rupture est traumatisante. Nous ne sommes pas là pour juger, mais pour aider. Il faut d'abord leur redonner l'espoir. Une fois débarrassées de leurs angoisses, elles retrouveront la joie de vivre; alors pourra se faire la synthèse spirituelle. L'Église accepte maintenant des raisons psychologiques pour libérer certains couples d'une union qui en fait avait toujours été invalide. Les personnes divorcées conservent leur place dans la grande famille chrétienne.» Paul-Émile estimait enfin qu'on appliquait peureusement les enseignements de Vatican II. Il déplorait que dans l'ouverture aux laïques on fasse des restrictions blessantes à l'endroit des femmes.

---

[6] *À propos de l'encyclique Humanae Vitae,* Fides, Montréal et Paris, 1968, page 8, N° 26.

Son meilleur: Jean XXIII

Paul-Émile, dans ses *Soirées d'Amour,* raconte comment Jean XXIII fut un pape révolutionnaire, malgré sa bonhommie. Trouvant que dans l'Église ça sentait le renfermé, il a ouvert les fenêtres. Il nous a apporté la simplicité et l'humour. Comme on lui demandait combien de monde travaillait au Vatican, il répondit: «À peu près la moitié...» Se souvenant que plusieurs conciles antérieurs avaient désavoué des opinions contraires à la foi catholique, le bon pape Jean disait: «Cette fois-ci[7] on ne condamnera personne; on va présenter le message évangélique en secouant la poussière impériale tombée depuis des siècles sur le manteau de l'Église.» Paul-Émile concluait: «C'est un pape qui m'a donc reposé...»

Bon berger

La bible trace le portrait du berger idéal. C'est tout le chapitre 34 d'Ézéchiel qui est à lire. Résumons, pour voir comment Paul-Émile s'y conforme:

> Je susciterai à la tête de mon troupeau un berger, qui sera prince au milieu d'eux. Je viens prendre

---

[7] Allusion à Vatican II.

soin de mon troupeau, le ferai paître sur les montagnes, dans un bon pâturage. La bête perdue, je la chercherai; celle qui sera écartée, je la ferai revenir; celle qui aura une patte cassée, je lui ferai un bandage; la malade, je la fortifierai. Je conclurai une alliance de paix, mon peuple sera en sécurité dans son territoire.

Paul-Émile connaît chacun par son nom; sans relâche, il apprivoise, écoute, conduit, oriente sur l'essentiel. Il crée des liens, devient responsable. Exercer la paternité, c'est donner la vie. Nanti de ce don et proche des meurtris, Paul-Émile rendra tangible la paternité divine. Signe sensible de la tendresse de Dieu, il exercera à profusion le ministère de l'apaisement, de l'encouragement. Il dispense une nourriture qui invite à grandir. Redonnant confiance, il libère les dons chez les autres: «Tu as des aptitudes étonnantes, tu dois les exercer.» Son autorité, enveloppée de sensibilité n'est pas domination, mais service.

Nouveau saint Paul

Ce n'est pas un effet du hasard si au baptême de leur premier-né Rose-Alma et Lionel Pelletier lui donnent le prénom de *Paul,* mais plutôt par intuition. Il y a assez de ressemblance entre saint Paul et Paul-Émile pour s'y attarder un peu. Il ne sera question ici que de Paul de Tarse; au lecteur d'établir l'analogie avec Paul de Lavaltrie! Mis à part, désigné à une destinée hors-série, Paul fera sienne l'œuvre fondamentale du christianisme: «Allez, enseignez toutes les nations.» C'est à la dimension de l'Église tout entière qu'il ouvre son cœur. Berger légendaire, les communautés seront le souci éminent de sa vie. Il les visitera, leur écrira, comme aux disciples de Colosses: «Revêtez votre cœur de tendresse et de bonté, d'humilité, de douceur, de patience. Par-dessus tout, qu'il y ait l'amour!»

«Malheur à moi, si je n'évangélise point», criait ce géant du Verbe. Sa puissance d'énergie et de rayonnement est inépuisable. D'une séduction irrésistible et d'un enthousiasme prodigieux, il s'entoura d'un état-major de volontaires. Plusieurs s'attacheront à lui au point d'associer leur destin au sien. Aux chrétiens de Thessalonique, saint Paul avait écrit: «Nous avions pour vous une telle affection que nous étions prêt à vous donner non seulement l'Évangile de Dieu, mais même notre propre vie, tant vous nous étiez devenus chers.»

SIXIÈME PARTIE

Son déclin

1985

Le jour baisse

Encore actif au début de 1985, Paul-Émile n'en verra toutefois pas la fin. Cette année lui réserve tout au plus quelques sursauts d'espoir, mais sa vie ira se rétrécissant, engagée sur la pente de non retour. En février, il écrit: «J'avais oublié que mon cœur avait commencé à battre en 1915!» D'une race de géants, viable jusqu'à quatre-vingt-dix ans, il ne croyait pas toucher si tôt le terme de sa course. Son coiffeur lui disait: «Tes cheveux ne poussent plus»; et lui de répondre: «Mon cœur ne pompe pas non plus.» À un ami, il écrit en juin: «Ça va de mieux en mieux, je me donne des *distractions* qui ne sont que des *formes déguisées de travail*, je regarde l'avenir avec confiance...»

Dans ce même mois de juin, il démissionne de l'Office de la Famille de Montréal; cette résignation laborieuse, partielle et progressive ne surviendra d'ailleurs qu'à la limite de sa résistance. Comment pourrait-il vivre à moins de 100%? De son bureau, il arrivait éreinté; il mangeait un peu, puis «s'embarquait» en entrevues; deux et parfois trois en une soirée. À des confrères inquiets qui s'enquéraient: «N'en ferais-tu pas trop?» il répondait: «Laissez-moi ça, c'est ce qui me fait vivre.» Ce comportement de Paul-Émile pose une grosse question. Aurait-il manqué de prudence en persistant au travail, contre l'avis de son médecin et de ses proches? Il est possible que son désir d'aller jusqu'au bout en tout ne l'ait pas aidé. Le dévouement héroïque qui le garda en disponibilité jusqu'à l'épuisement, au-delà de toute possibilité de récupération, tient du prodige. Si chaque vie a son énigme, on touche peut-être ici le mystère de Paul-Émile; l'explication nous en serait fournie par son patron, saint Paul, qui écrivait: «Je n'attache vraiment aucun prix à ma propre vie; mon seul désir est d'accomplir ma course et la charge reçue de Jésus, le Seigneur, de proclamer le don que Dieu accorde aux hommes» (Ac 20, 24).

À la ligne d'arrivée

Le 16 septembre 1985, on amène Paul-Émile de Saint-Pierre-Apôtre à Richelieu. Passé la digue, il entre dans des eaux plus calmes. Fourbu, cassé, au seuil du Royaume, portant son âme à bout de bras. Heureux de demeurer parmi ses confrères et de se faire soigner par des religieuses. Si bien qu'il prendra un peu de mieux. Ses journées sont remplies: repos, prière, lecture, réponse au courrier, un peu de télévision et beaucoup d'appels téléphoniques, car son réseau d'amis est à portée de fil. Énergique et volontaire mais parfois chambranlant, il circule, célèbre la messe et accueille quelques amis.

Le 21 septembre, dans l'intimité, on fête avec lui son quarante-cinquième anniversaire de prêtrise. Le 13 octobre, il écrit: «Il est usé, ce vieux cœur. C'est décidé et accepté: repos complet. J'attends les indications du Saint-Esprit.» Le 22 octobre, il s'octroie une échappée, pour concélébrer, à Saint-Viateur d'Outremont, aux funérailles d'un vieil ami, Monsieur Alfred Rouleau. Le 24, à son frère Raynald, séjournant à Jérusalem, il écrit: «Si tu vois des livres intéressants pour moi, n'oublie pas de m'en faire part.»

Viens, Seigneur!

Ce qui pesait à Paul-Émile, ce n'était pas d'avoir l'air vieux, mais de l'être. Il avait beaucoup à dire, aimait raconter son enfance. Nullement exigeant, il apprécie toutes les marques d'affection, se confond en remerciements. Tout fier, il étale autour de son bureau les photos qu'il reçoit: «Je les ai baptisés, mariés, ce sont mes petits enfants... Je rends grâce à Dieu: tout ce que j'ai rencontré, dans ma vie, c'est du bon monde. J'ai été comblé, tant d'amis que j'ai aimés, par qui je me suis laissé aimer... Je réalise que je ne fus qu'un instrument pour ce que le Seigneur a accompli dans ma vie... Je viens de comprendre, je dételle, je portais l'univers... Si le Seigneur voulait me laisser encore dix ans, pour la famille!» Les sœurs infirmières diront: «Nous l'avons vu grandir.» *Le soir montre ce qu'a été le jour.*

À l'aise et ouvert avec Paul-Émile, le médecin ne lui dissimule rien. Au sortir de la dernière entrevue avec celui-ci, Paul-Émile dit aux sœurs: «J'ai deux bonnes nouvelles: 1) Je reste avec vous autres; 2) J'ai 75% de chances d'arriver au ciel bientôt.» À un séminariste ami, il dit: «À partir d'aujourd'hui, je te prends avec moi.» Paul-Émile qui avait tant chéri la vie, s'apprête à la quitter tout doucement. Ne pouvant plus recevoir ses amis, il avoue s'ennuyer: «Plus je vais, plus je suis seul; le Seigneur doit les remplacer tous.» Ayant en vain tenté de faire poser une rallonge à sa vie, il planifie son départ, se fait accueillant à Dieu. Pour sa dernière confession, il demande, parmi les prêtres de la maison, celui qui à ses yeux incarne le mieux la tendresse de Dieu. Par une délicatesse du Seigneur, l'insidieux naufrage de la mémoire lui sera épargné. Sachant son départ imminent, il en parle bien simplement. Ça le rapproche du Seigneur et de ses intimes. La mort est une dame polie qui la plupart du temps frappe avant d'entrer; lors de sa première maladie grave en 1964, Paul-Émile lui avait fait la sourde oreille, défendant jalousement sa flamme, repoussant cette atteinte à sa vie. Cette fois, du haut de sa montagne, il aperçoit la terre promise, qu'il appelle maintenant de tous ses vœux.

Les Cormier-Caissie

Martina Cormier et Gildas Caissie, jeunes mariés acadiens, se voient offrir le SOF comme un cadeau. Avec sept autres couples, *ils serviront de cobayes,* (disent-ils!) *au tout premier groupe SOF,* en novembre 1945, à Montréal. Paul-Émile y jouait le rôle de prêtre-accompagnateur. Intimes de Paul-Émile depuis ce moment-là, ils demeureront solidaires tout au long de ces belles années et deviendront *les bénéficiaires de son tout dernier acte de ministère,* dix jours avant son décès. Depuis le printemps 1985, Paul-Émile s'était engagé à célébrer avec eux le quarantième anniversaire de leur mariage.

Comme sa participation à l'événement devenait de plus en plus incertaine à mesure que les semaines passaient, on tentait de l'en dissuader. Paul-Émile ripostait: «Ami avec eux depuis quarante ans, je leur ai promis et ne puis leur refuser ça.» De sa belle main, il écrira le programme de la cérémonie, douze pages, qu'un confrère Oblat imprimera. Incapable de sortir, Paul-Émile accueillera à Richelieu le groupe, d'une soixantaine de personnes. Sœur Lucile Lalonde, infirmière, aidera à la préparation et au déroulement de la célébration de ce 27 octobre. Paul-Émile fait des efforts surhumains pour passer dix ou quinze minutes avec la famille. Au couple jubilaire, il offrira en souvenir le volume: *Réflexion sur l'art de vieillir*[1].

Quarante ans de fidélité

Types de la constance en amitié avec Paul-Émile, les Cormier-Caissie vous représentez tous, innombrables couples qui avez accompagné Paul-Émile dans son ministère auprès des familles de chez nous. «Les vieilles amitiés sont les dernières fleurs de la vie.» Paul-Émile n'a pas seulement *donné* à ses amis; il a abondamment *reçu* d'eux. Loyalement, vous l'avez soutenu, encouragé, réconforté. Il avait besoin de

---

[1] Album de 64 pages, par Mary et Herb MONTGOMERY, Éditions Novalis.

vous; il vous a toujours trouvés sur son chemin, dans ses jours ensoleillés ou assombris. Associés à ses labeurs, vous l'êtes aussi à ses réussites.

La mémoire du cœur

Rangé sur la voie d'évitement, privé de la plupart de ses moyens et en train de se faire ravir sa vie, Paul-Émile sera cordialement envahi par ses amis qui le prendront d'assaut; les uns par une visite, la plupart par lettre. Cela lui apportera un réconfort inestimable. On lui écrit de Sherbrooke, Québec, Shawinigan, Boucherville, Trois-Rivières, Saint-Jean, Montréal, Rigaud, Gatineau, Saint-Hyacinthe, etc. Gloutonnement, il déchire les enveloppes, pour se repaître de leur contenu. Il bénéficie de ce qu'il a enseigné: «À ceux que vous aimez, dites-le leur donc de leur vivant.» Qu'est-ce que ses amis lui écrivent? Voyons, voir. «Témoin de l'amour, phare dans les ténèbres, tu as été sur notre route un père en Dieu, tu nous as donné le goût de la famille, le désir de servir. Je n'aurais jamais cru être capable de ce que je fais aujourd'hui, je suis heureux de te le dire! T'entendre vaut mieux que les pilules que je prends. Tu m'as fait découvrir les valeurs que je tenais en veilleuse, tu es le grand responsable de mon engagement.»

«*Tu es de ceux qu'on n'oublie jamais*»

Une dizaine de groupes lui envoient des lettres collectives. Entre autres, vingt-six anciens animateurs du SOF réunis dans un restaurant de la rue Duluth célèbrent joyeusement le quarantième du mouvement. Au revers du menu, ils signent tous un message d'amour: «La vieille gang du SOF 1955-1975.» D'autres ajoutent: «Lorsque tout s'écroulait autour de nous, tu as su nous écouter, nous aider avec sincérité et amour. Ta vie est faite de départs et d'arrivées, de soleils levants et couchants, d'eaux calmes et tourmentées. Tes Soirées d'Amour ont fait réapparaître nos forces vives.» D'aucuns y vont d'un conseil: «Repose-toi complètement avant de revenir à Montréal. Je ne te fais pas d'autre recommandation, tu n'as pas l'habitude de te laisser dicter ta conduite par autrui, même si autrui est un couple d'amis rempli d'admiration et d'amitié pour toi.» «Combien je me sens redevable pour tout ce que tu nous as donné depuis tant d'années! Chez toi nous avons trouvé le *point d'eau*[2] qui a apaisé notre soif et rafraîchi nos cœurs. Tes conseils s'étendent aux autres générations. Profite de la tendresse des autres,

---

[2] *Point d'eau:* Temps d'arrêt aux sources rafraîchissantes de la réflexion et du partage, dans l'amitié et la fraternité. Sessions de croissance organisées par le SOF.

tu l'as méritée. Puisse notre affection contribuer à ton rétablissement. De la part du Seigneur nous te disons: sois sage et patient, nous avons besoin de toi.»

Les derniers jours de Paul-Émile seront agités, mais les ultimes combats sans violence. Les prières faites auprès de lui le calment. Incapable de parler, il demeurera conscient jusqu'à la fin, qui survient soudainement, vers la mi-nuit, alors qu'il se trouve avec un compagnon fidèle et dévoué, le frère Fernando Thibodeau.

L'amour en deuil

Le décès de Paul-Émile en surprendra plusieurs et, au matin du 6 novembre, il sera bien attristant de l'annoncer à sa parenté, à ses amis, au vaste réseau du SOF et aux organismes familiaux. À la maison funéraire, à Montréal, c'est bientôt l'engorgement dans les trois salons adjacents, et on doit, à un moment donné, organiser la circulation autour du cercueil. Le matin des funérailles, le corps est transporté à l'église Saint-Pierre-Apôtre où reprend l'interminable défilé, hommage combien éloquent de tout ce peuple navré, venu prier et exprimer sa reconnaissance à celui qu'il appelait et qui était véritablement *son père*. Le 9 novembre, la célébration eucharistique rassemble une foule à laquelle l'historique église Saint-Pierre-Apôtre s'était désaccoutumée. Le chœur et la nef ne suffisent pas; le jubé est envahi et beaucoup devront demeurer debout. Ces derniers mois, Paul-Émile avait dit à plusieurs: «Tu viendras à mes funérailles.» Non pas par humour, mais sérieusement, pour les convoquer à un dernier rendez-vous à ne pas manquer. Cette grande affluence rappelle celles qui marquèrent les obsèques de ses père et mère à Lavaltrie.

Accueille-le, Seigneur!

Mgr Albert Sanschagrin, o.m.i., préside la liturgie, assisté de Mgr Jean-Claude Turcotte, évêque auxiliaire de Montréal, entourés d'au-delà de cent concélébrants, prêtres diocésains, collaborateurs, Oblats ou amis. Confrère de Paul-Émile et son devancier en Action Catholique, Mgr Sanschagrin rappelle que Paul-Émile a travaillé dans tous les diocèses francophones du pays, et que nous sommes en dette envers lui. Puis il fait cette prière:

Seigneur, regarde avec miséricorde ton serviteur qui rassemblait le peuple pour partager ton pain et ta parole. Qu'il se présente devant toi aujourd'hui, délivré du péché, portant le vêtement de fête de tes amis. Tu l'as choisi parmi les hommes pour être prêtre à la manière des apôtres. Il a répondu à cet appel par amour pour toi et pour nous. Maintenant qu'il a rempli sa mission, donne-lui de rencontrer celui qu'il a cherché avec ses frères.

L'émotion est intense dans cette assemblée recueillie, priante, chantante. Dans le silence qui précède la proclamation de la Parole, un enfant pleure, extériorisant un sentiment que plusieurs ont du mal à contenir.

Il nous a tant aimés!

L'Évangile de circonstance dit: «J'étais malade, nu, affamé; vous m'avez secouru. Venez les bénis de mon Père, recevez le royaume promis!» Dans son homélie, le père Pierre-Paul Asselin, initiateur de Paul-Émile en Action Catholique, commente:

En entendant cette parole, débordant de joie dans son humilité, Paul-Émile a dû répliquer: pourtant, Seigneur, je n'ai œuvré ni parmi les clochards ni les déshérités. Qui ai-je ainsi assisté? Alors le Seigneur a tiré le rideau, découvrant les foules qu'ici vous représentez, parents et amis de Paul-Émile. À tour de rôle, vous témoignez en sa faveur: Seigneur, nous avions soif de ton amour; Paul-Émile nous en a montré le chemin. Prisonniers de notre égoïsme et de notre orgueil, il en a brisé les chaînes. Nous n'entendrons plus son rire; son accueil chaleureux et ses gestes devenus familiers nous manqueront. Mais puisqu'il ne peut reprendre ce qu'il nous a donné, parti, il reste avec nous. Ces funérailles sont une fête, le couronnement d'une vie toute de dévouement.

Vient ensuite le tour de Monique et Gérard Blanchet, couple président national du SOF, représentants du laïcat, si cher à Paul-Émile: «Exemple de gratuité, de tendresse et de foi, Paul-Émile voulait transmettre sa flamme, sa conviction. Il disait: Je pense que j'ai réussi ma job, du moins avec quelques-uns d'entre vous...» Après avoir résumé la carrière de Paul-Émile avec les couples, ses bons coups, ses ruses à peine dissimulées pour embaucher laïques et prêtres, Monique s'adresse directement à Paul-Émile:

Tout n'est pas fini pour toi! Là où tu es, tu deviens notre ambassadeur. Nous avons besoin de toi, nous allons te déranger souvent. Envoie-nous force et lumière, afin que nous puissions continuer l'œuvre pour laquelle tu as donné ta vie et que tu nous as léguée. Au nom de tous les couples, de ceux et celles que tu as aidés à grandir, au nom de ta famille et de tes amis, merci! Tu demeures avec nous. Le Seigneur soit loué de t'avoir placé sur notre route!

Le dernier mot de cette inoubliable célébration revient au père Henri Goudreault, supérieur provincial des Oblats. « Votre assistance est un éloquent témoignage au zèle et à l'amour de Paul-Émile pour vous tous et un grand nombre d'absents. Heureux et fiers d'avoir compté dans nos rangs un apôtre tel que lui, nous souhaitons que les liens créés entre les Oblats et les parents et amis de Paul-Émile demeurent bien vivants. »

Paul-Émile occupe un modeste espace dans le cimetière oblat de Richelieu. Qu'il repose en paix!

Épilogue

Concert d'appréciation

Sitôt disparu, Paul-Émile soulève un accord de sympathie, d'admiration, de regrets. *Mgr Paul Grégoire,* archevêque de Montréal, écrit: «Le père Pelletier a consacré les neuf dernières années de sa vie au diocèse de Montréal. Il est à l'origine de notre Office de la Famille et du renouveau au SOF. Nous perdons en lui un religieux éminent et un serviteur vivement apprécié.» Le *Secrétariat national de la JOC,* par sa présidente Luce Bédard, exprime sa gratitude à Paul-Émile, pour ce que son dynamisme a réalisé. Dans *La Tribune diocésaine de Saint-Jean-Longueuil,* l'abbé Marcel Trudeau dit que «par son enthousiasme, Paul-Émile fut pour une multitude de couples une présence et une inspiration.» Dans *L'Église de Montréal,* Bernard Fortin, successeur de Paul-Émile à l'Office de la Famille, note: «Il ne nous sera pas facile d'oublier cet homme de Dieu, pasteur ardent, rassembleur. Constructeur et défricheur, il a lancé de grands mouvements. Avec lui et ses collaborateurs, le SOF a atteint des sommets. Il s'est fait le serviteur de la vie et de l'amour. Sa confiance dans les disponibilités de chacun a déclenché des engagements étonnants. Merci à la famille Pelletier de nous avoir donné un pasteur si attachant. » Cet article sera repris par *Le Devoir. Le Lien national,* bulletin d'information du SOF titrera son numéro de janvier 1986: *Hommage à Paul-Émile Pelletier:* « Paul-Émile a aidé des centaines de couples, souvent au détriment de sa santé. Combien de fois nous a-t-il dit que son plus grand bonheur consistait à bénir les époux et à baptiser leurs enfants! Le SOF: *sa marotte,* disent les uns; nous pensons que c'était *sa vie.* »

L'héritage de Paul-Émile

Lors de l'inhumation au cimetière de Richelieu, le père Elzéar Béliveau, supérieur religieux de Paul-Émile, disait à son sujet: « Devons-nous prier pour lui, ou le prier? Nous ne le canoniserons pas, mais nous le déclarons bienheureux. Sa vie fut une réussite, il nous a légué un héritage précieux. » Paul-Émile nous a laissé ce qui est propre aux cheveux blancs: la sagesse, la sérénité, l'appréciation du passé, l'espérance. L'amour, une fois qu'il a germé, pousse des racines qui n'en finissent plus de croître. Nous pouvons nous appuyer sur ce que Paul-Émile a construit. Une génération produit peu de prêtres du calibre et de la fougue de Paul-Émile.

Il était de «ceux auxquels les hommes croient, dans les yeux desquels des milliers d'yeux cherchent[1]». Même en se hâtant, Paul-Émile n'eut pas le temps de nous révéler toute la mansuétude de Dieu. Que de choses encore il avait à nous dire! Il fut une trace de Dieu dans la poussière de notre temps.

Salle Paul-Émile-Pelletier

Au Grand séminaire de Montréal, dans la partie affectée à *L'Office de la Famille,* mis sur pied par Paul-Émile, on a dédié un local à la mémoire de cet homme qui a de l'histoire au Québec, et qui a surtout marqué la région métropolitaine. En souvenir et en hommage à ce prêtre au charisme envoûtant, les gens de L'Office se réunissent maintenant dans la *Salle Paul-Émile-Pelletier.* C'est un premier mémorial érigé à ses réussites. Quant à ses fervents disciples, c'est dans leur cœur qu'ils ont élevé un monument, en conformant leur vie à l'idéal qu'il leur a tracé, en les rattachant à Jésus-Christ. Ancien champion, Paul-Émile devient supporteur. «D'en haut, il dirige encore l'orchestre», atteste un ami. De sa tribune, il encourage ceux et cel-

---

[1] Inscription sur le tombeau de Louis-Hubert Lyautey, maréchal de France, à Paris.

les qu'il a attirés dans l'arène et qui courent vers leur victoire finale, celle qu'il a lui-même remportée.

Ses amis...

Que pensent-ils, que disent-ils, que vivent-ils? «*Il nous manque terriblement. Les oreilles doivent lui siler souvent!* Nous comprenons mieux, maintenant, la parole de saint Jean: *Si le grain de blé* ne meurt, il reste seul; mais s'il *meurt, il porte beaucoup de fruits.* Le Seigneur qui a voulu se servir de lui durant tant d'années travaillera désormais sans lui. La mort a finalement octroyé à Paul-Émile le repos qu'il ne recherchait pas, devant l'ampleur de la tâche. Les liens d'affection tissés sur terre et conformes au plan de Dieu, ne sont pas brisés; ils sont consacrés, transfigurés. Compagnons sur la terre, nous le redeviendrons éternellement.»

«Dans les situations délicates, nous nous demandons: Qu'est-ce que Paul-Émile penserait de cela? Paul-Émile, par fidélité à toi, nous ne lâcherons pas. *Nous tiendrons le fort!* Tu as laissé un grand vide dans nos familles, au SOF. Nous saurons continuer, tu peux compter sur nous!» L'un des frères de Paul-Émile écrit:

«Parce qu'il était l'aîné de la famille, Paul-Émile s'est cru obligé de partir le premier... Je souhaiterais avoir sa carte de crédit pour me présenter chez saint Pierre, lorsqu'il comptabilisera mes bonnes actions.» Au ciel, Paul-Émile doit occuper une place dans la loge des défenseurs de l'amour. Pour lui, le bonheur conquis ne passe plus.

Avec empressement, le Seigneur dut ajouter un couvert à sa table, pour accueillir ce convive en compagnie duquel il fera bon s'éterniser, regroupés à jamais dans *la famille des enfants de Dieu*...

À vous tous, merci!

Symboles vivants de la fidélité en amitié, soyez
remerciés, vous qui avez avec tant d'empressement et de disponibilité accepté de vous prêter
aux entrevues qui ont fourni le contenu de ce
bouquin. Impossible de vous nommer tous,
ce que pourtant vous auriez mérité: famille
Pelletier, couples, Oblats, prêtres, collaborateurs, amis. Vous avez raconté Paul-Émile avec
amour, émotion, admiration, vénération. Puis-
siez-vous l'avoir reconnu en ces pages, puisque
vous en êtes les vrais auteurs.

A.N.

Table des matières

Collection

TÉMOINS & TÉMOIGNAGES

Achevé d'imprimer à Montréal
par les Presses Élite Inc.